—**S**oy la Gran Serafina —continuó diciendo la mujer y señaló la tienda—. ¿Les gustaría que les leyera el futuro?

—Eh... está bien —dijo Zoe. No creía en ese tipo de cosas, pero pensó que podría ser divertido.

Corrió hasta la silla y se sentó.

Serafina viró la primera carta.

—Humm... —dijo, y una sutil sonrisa se dibujó en sus labios delgados—. Parece que vas a tomar una mala decisión.

—Ah, está bien —respondió Zoe con una risita nerviosa.

—Zoe, ponte seria —dijo Mía dándole un golpecito en el hombro.

La mujer puso otra carta boca arriba y negó ligeramente con la cabeza. Una expresión terrible apareció en su rostro.

—Parece que estás en peligro.

¡NO TE PIERDAS NINGUNA DE NUESTRAS TERRORÍFICAS HISTORIAS ESCOLARES!

Sin salida de Mimi McCoy

Aullidos a medianoche de Clare Hutton

¡Colmillos afilados! de Ruth Ames

EL DIJE ENCANTADO

Brandi Dougherty

SCHOLASTIC INC.

Originally published in English as
Poison Apple: Miss Fortune
Translated by Karina Geada

ISBN 978-0-545-57198-2

12 11 10 9 8 7 6 5 4 3 2 1   13 14 15 16 17 18/0

Printed in the U.S.A.   40
First Spanish printing, September 2013

A Joe

CAPÍTULO UNO

"Fue un error y ahora es demasiado tarde. Está pasando de verdad. ¿Cómo pude ser tan tonta?"

Zoe Coulter podía sentir su pulso en la garganta. Su corazón latía más rápido que nunca. Tenía los puños tan apretados que se estaba clavando las uñas en las palmas de las manos. El estómago le dio un vuelco a medida que un presentimiento se apoderaba de ella. Echó un vistazo a Noé; todavía no podía creer que estuviera a su lado.

Entonces, gritó frenéticamente mientras el coche en el que iba se tambaleaba en la cima más alta de la montaña rusa unos segundos antes de que se precipitara hacia abajo y subiera bruscamente de nuevo, dando un giro rápido. Ahora Zoe no podía parar de reír mientras daba la última vuelta por el laberinto de metal antes de parar abruptamente al final del recorrido. ¡Ella *adoraba* las atracciones más escalofriantes de la feria!

—Eso fue increíble —dijo Noé mientras bajaban por la rampa para reunirse con sus amigos.

Lo único que Zoe podía hacer era asentir y sonreír. La vuelta en la montaña rusa no había sido lo primero que la había hecho sentir una descarga de adrenalina esa noche. Su corazón se había acelerado en el mismo instante en que vio a Noé en la entrada de la feria. Por alguna razón lucía más apuesto que de costumbre, con esos jeans oscuros y una camiseta verde del mismo color de sus ojos.

Zoe volvió a echarle un vistazo al chico. La suave brisa de Portland acariciaba su cabello castaño oscuro, cubriéndole el rostro. Cuando Noé se lo apartó de la cara, Zoe sintió que el corazón le saltó en el pecho.

—¿Cómo estuvo eso? —preguntó Tina, una amiga de Zoe.

—¡Se veía aterrador! —interrumpió Micaela.

Tina estaba parada junto a Andrés y Zack, y Micaela estaba unos pasos más atrás cuchicheando con Mía, la mejor amiga de Zoe. Tina y Micaela se conocían de toda la vida. Vivían a pocas casas de

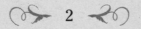

distancia y siempre habían sido muy buenas amigas. A Tina le gustaban los juegos de chicos y muchas veces prefería un partido de fútbol a una sesión de chismes. Micaela, sin embargo, prefería una buena sesión de chismes a cualquier otra cosa.

—Estuvo bien —dijo Zoe torpemente, sin despegar sus ojos color avellana del suelo, consciente de que Mía y Micaela no le quitaban los ojos de encima.

Zoe había conocido a Noé en casa de Tina a principios de la primavera jugando juegos de mesa, y desde que lo vio le pareció un chico realmente lindo. Y cuando Noé le prestó cincuenta dólares en el juego de Monopolio para que ella pudiera salir de la cárcel, Zoe decidió que era mucho más que lindo: le gustaba cien por ciento. Los amigos de Zoe sospechaban que Noé también estaba enamorado de ella, y sabían que esa noche lo iban a confirmar.

—Estábamos hablando de montarnos en el Kamikaze —dijo Andrés, sin tener la menor idea del drama que se desarrollaba a su alrededor.

—¡Arriba, vamos! —dijo Tina.

Zoe le sonrió a Noé mientras se dirigían a la atracción, y le agradeció en silencio a Tina y Andrés. No quería tener un círculo de gente mirando cada uno de sus movimientos. Noé caminaba junto a ella, y Zoe sintió otro vuelco en el estómago.

Cuando se acercaban a la fila para subir al Kamikaze, Mía aminoró el paso hasta detenerse. Al instante, Zoe reconoció la expresión en los ojos marrones de su amiga. Sabía que tenía miedo de subirse. Zoe siguió la mirada horrorizada de Mía y luego observó la impresionante atracción. Dos brazos metálicos sostenían en cada extremo una jaula de pasajeros que se balanceaba una y otra vez, ganando impulso y velocidad hasta llegar a girar en círculo.

—Mía, esta no es tan espeluznante —dijo Zoe suavemente pasando el brazo por el hombro de su amiga—. Parece peor de lo que realmente es. De verdad.

A veces Zoe sentía que conocía a Mía mejor que ella misma. Después de todo eran amigas desde cuarto grado, cuando Zoe la salvó en un juego. Mía era un poco reacia a probar cosas nuevas, pero en cuanto lo hacía se mostraba dispuesta a intentarlo de nuevo. Como en el ballet, por ejemplo. Había sido Zoe quien la había arrastrado a su primera clase. A los cinco minutos de tener puesto el tutú y esas zapatillas raras, Zoe supo que el ballet no era lo suyo. Mía, sin embargo, quedó totalmente enganchada.

Mía seguía mirando la atracción con desconfianza.

—Es como el ballet —agregó Zoe—. Solo tienes que darle una oportunidad.

—¿Crees que deba comenzar por las atracciones para los chicos pequeños? —preguntó Mía, acomodando con nerviosismo un mechón de su larga cabellera negra. Mía era china, de rasgos delicados y el pelo muy lacio y oscuro—. Yo no puedo empezar por la montaña rusa como tú, Zoe —añadió.

Zoe suspiró. Quería que su amiga también se divirtiera en la feria.

—Está bien, está bien —respondió Zoe—. Vamos poco a poco hasta que puedas subirte a esta atracción.

Las amigas fueron primero al carrusel, después a los carros locos y por último a las tazas giratorias hasta que Zack las convenció de hacer una pequeña parada para comer algo.

Zoe devoró una salchicha lo más rápido que pudo. Quería asegurarse de tener tiempo para montarse en todas las atracciones. En cuanto terminó de comer, se levantó de un salto y las migajas salieron volando por todas partes.

—¡Hora de subir al Kamikaze! —gritó.

—Pero Zoe, acabamos de comer —protestó Mía.

La chica todavía estaba masticando lentamente el último bocado de su pegajoso churro de azúcar, pero Zoe sabía que Mía solo estaba tratando de ganar tiempo.

—¿Qué les parecen unos juegos primero? —sugirió Noé.

Noé siempre servía de mediador entre sus amigos. Zoe recordó el día que lo conoció en casa de Tina. Noé negoció un acuerdo para mantener a Zack en el juego de Monopolio mediante la creación de un complejo sistema de préstamos, y Zack terminó ganando.

—Está bien —dijo Zoe sonriendo—, pero esta noche nos montaremos en el Kamikaze —añadió guiñándole un ojo a Mía... y su amiga le respondió sacándole la lengua.

Caminaron entre las filas de los juegos durante unos minutos antes de que Noé se decidiera a probar el de ensartar aros en las botellas. Zack y Micaela también decidieron jugar, pero perdieron bastante rápido. Sin embargo, Noé era estupendo. Todo el mundo aplaudió cuando ensartó botella tras botella. Al final ganó un muñeco de peluche. Noé señaló un brillante oso morado y le regaló su premio a Zoe.

—Toma, es para ti —dijo con timidez.

—¡Gracias! —dijo Zoe sonriendo.

Estaba tan emocionada que casi no podía estarse quieta. Se dio cuenta de que a Micaela también le costaba trabajo actuar como si nada... algo que no era raro en ella. Mía, por su parte, acaba de hacerle un sutil pero entusiasta gesto de complicidad cuando Noé no estaba mirando. Zoe sabía exactamente lo que sus amigas estaban pensando: ¡Noé estaba enamorado de ella!

Después de unos cuantos juegos más, un recorrido por la casa de la risa y una pequeña vuelta por la granja infantil, Zoe se aclaró la garganta con dramatismo.

—Bueno, chicos, ya es hora —dijo mirando a Mía.

—¿Hora de qué? —preguntó Andrés.

—¡Del Kamikaze! —gritó Zoe, y enseguida notó que los hombros de Mía se hundían.

—¡Vamos para allá! —gritaron los demás.

Zoe caminó hasta Mía y volvió a pasarle el brazo por el hombro.

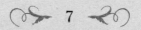

—Tú puedes hacerlo, Wang —dijo—. Verás qué divertido va a ser, te lo prometo. No tengas miedo. No va a pasar nada malo. Hay correas sujetándote por todas partes. Probablemente esa atracción sea más segura que subir a un auto.

—Está bien —suspiró Mía a regañadientes—. Apúrate antes de que cambie de parecer.

Zoe dio un salto de alegría, agarró a Mía por la mano y la arrastró hacia la espeluznante atracción.

Minutos más tarde, las chicas se abrían paso por la puerta de salida de la atracción.

—¡Montémonos otra vez! —gritó Mía.

—¿Ya ves? —dijo Zoe entre risas—. ¡Sabía que te iba a gustar! Te pasó exactamente como con el ballet.

Mía bajó la cabeza.

—¡Ya sé, ya sé! —admitió—. Tenías razón. ¡Me encantó! ¿Podemos montarnos otra vez, *por favor*?

Zoe sonrió y la tomó de la mano para regresar a la entrada. Sus amigos las siguieron rápidamente.

Después de dos vueltas más en el Kamikaze, Noé le pidió a Zoe ir a la noria. A petición de Mía, el resto de la banda decidió ir por última vez a la casa de la risa.

—Me alegro de que hayas venido —dijo Zoe mientras su cabina daba vueltas en el cálido aire de la noche.

—Yo también —respondió Noé.

Zoe sintió arder su rostro. No podía creer lo nerviosa que estaba. Por lo general sabía cómo comportarse en cualquier situación, pero esta era diferente. Era como si tuviera la boca llena de algodón. No sabía qué más decir y, aunque supiera, no estaba segura de que pudiera pronunciar las palabras.

—Me dijo Andrés que eres cineasta —dijo Noé para romper el silencio—. Me gustaría ver algo de lo que has hecho.

Zoe sonrió con timidez.

—Bueno, no soy exactamente cineasta —respondió en voz baja—. Pero sí, me gusta hacer películas y esas cosas.

—Me dijo que el año pasado presentaste una película en la clase de inglés y que la Sra. Wentz no paraba de celebrar lo bien que te había quedado.

—Bueno… —murmuró Zoe sonrojándose.

—¿Y fuiste al campamento de cine en el Instituto de Arte de Portland este verano, no? —continuó Noé.

—Sí.

A Zoe le complacía que supiera tanto de ella. ¡Seguramente les había hecho mil preguntas a Andrés y Tina!

Lo cierto era que a Zoe le encantaba hacer películas. Desde que tenía uso de razón, recordaba ir por la casa filmando escenas con la cámara de vídeo de su papá… y volviendo loco a Conner, su hermano mayor. El verano antes de sexto grado, su papá la había llevado un día a un seminario de cine en la universidad, y después de eso se volvió adicta al cine. Ahora tenía su propia cámara de vídeo y había hecho su primer cortometraje en el campamento de cine ese verano.

—Si me das tu teléfono podríamos salir algún día —dijo Noé en un tono casi inaudible—. Así me enseñas tus vídeos… si quieres…

—¡Por supuesto! —respondió Zoe entusiasmada—. ¡Sería genial!

Noé sacó su celular para registrar el número de Zoe. La velocidad de la cabina empezó a disminuir a medida que se acercaba el final de la noria. Y el corazón de Zoe se aceleró.

"¡Ay no! —pensó—. Se está acabando y apenas hemos podido hablar".

—Gracias por el oso de peluche —logró decir mientras acariciaba el enorme oso púrpura.

—No tienes que quedarte con él por educación —dijo Noé encogiéndose de hombros.

—No, me gusta —respondió Zoe rápidamente, le dio un torpe abrazo al oso y Noé se rió con nerviosismo.

—Bueno... —dijo Noé, y rozó ligeramente la mano de Zoe en cuanto la cabina se detuvo.

El operador de la atracción inclinó la cabina hacia delante y abrió el pasador de seguridad. Zoe se tuvo que agarrar para no caerse de frente.

—Vamos, tortolitos —gritó el empleado.

Zoe sintió que la cara le volvía a arder. Levantó la vista y se dio cuenta de que todos sus amigos los estaban esperando.

—Noé —gritó Zack—, ya llegó mi hermano.

—Bueno... —dijo Noé mirando a Zoe—. Entonces te voy a llamar.

—Está bien —dijo Zoe, temiendo que la cara le estallara en llamas en cualquier momento.

Noé les hizo señas a Micaela, Tina y Mía.

—¡Adiós!

—¡Chao, Noé! —gritaron todas a coro.

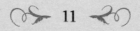

En cuanto los chicos se apartaron, las chicas se abalanzaron sobre Zoe.

—¿Y entonces? —preguntó Mía con ansiedad.

Zoe se cubrió el rostro con las manos.

—¡Chicas, no puedo creer lo nerviosa que estaba!

—¡Sabía que él estaba enamorado de ti! —chilló Micaela—. ¡Es tan lindo! Y ganó ese oso para ti. ¡Qué tierno!

—Cuéntanos qué pasó —dijo Mía, halando la manga de la chaqueta de Zoe.

—Me pidió mi número y me dijo que le gustaría salir conmigo —respondió Zoe encogiéndose de hombros. Estaba haciendo un esfuerzo enorme para actuar con naturalidad.

—¡Zoe! ¡Qué maravilla! —exclamó Tina.

—¡Fenomenal! —añadió Micaela—. Ustedes serían la pareja más linda de... —dijo, pero fue interrumpida por su celular—. Caray, Tina, tenemos que correr. Llamó mi mamá. Definitivamente, tenemos que seguir hablando de esto. ¡Ay, estoy tan emocionada por ti, Zoe! Y prométeme que me llamarás en cuanto suceda algo nuevo, ¿de acuerdo?

Cuando Micaela comenzaba a hablar no se detenía ni para coger aire.

—Por supuesto —dijo Zoe riendo.

—Está bien, adiós Mía... chao, Zoe.

—¡Adiós! —respondieron Mía y Zoe al unísono.

Tina negó con la cabeza y dijo adiós con la mano.

Zoe miró la hora en su celular y le dirigió una sonrisa socarrona a Mía.

—¿Nos subimos al Kamikaze una vez más?

Necesitaba otra ronda de adrenalina antes de que terminara la noche.

—No lo sé —contestó Mía mientras se mordisqueaba una uña—. ¿Tu papá no estará esperando?

—¡Vamos! —imploró Zoe—. Tenemos suficiente tiempo. Mi papá llegará como en quince minutos. ¡Porfaaa!

Mía tuvo que reír al ver la expresión suplicante de Zoe.

—Está bien, está bien. Vamos.

CAPÍTULO DOS

Las chicas salieron tambaleándose del Kamikaze y se encaminaron al estacionamiento fuera de la feria. Zoe llevaba una sonrisa de oreja a oreja, pero Mía lucía un poco pálida. Zoe se sorprendió de lo vacía que estaba la feria de repente. Echó un vistazo a su celular. Todavía eran las 9:30, pero parecía mucho más tarde. El cielo estaba tan nublado que apenas se podían distinguir las estrellas.

El terreno que ocupaba la feria también se veía más oscuro. Ya no era el escenario brillante y lleno de vida de hacía solo unos minutos. Una columna de humo proveniente de un puesto de salchichas cercano subió en espiral frente a ellas, proyectando todo tipo de sombras. Zoe sintió un escalofrío y se subió la cremallera de la chaqueta. Entonces, se sintió inquieta, pero no sabía por qué.

Cuando se acercaban a la salida de la feria, ya muy cerca del estacionamiento, Zoe divisó una tienda de campaña que no había visto cuando llegaron. Justo cuando se lo iba a comentar a Mía, una mujer salió de entre las sombras y Zoe pegó un salto asustada.

—Buenas noches, niñas —dijo la mujer, aunque su fuerte acento hizo que esas palabras sonaran como "buen salcoche, tiñas".

La mujer tenía las cejas gruesas y oscuras y la piel aceitunada. Llevaba un vestido negro que se arrastraba por el suelo y sandalias de cuero desgastadas. Un abultado moño de cabello negro con algunas hebras canosas le adornaba lo alto de la cabeza.

—Soy la Gran Serafina —continuó diciendo la mujer, y señaló la tienda—. ¿Les gustaría que les leyera el futuro?

Zoe y Mía se miraron y rieron nerviosas.

—Humm, gracias —respondió Mía—, pero nos tenemos que ir.

—No les cobraré, pues la feria está a punto de cerrar —dijo la mujer.

Zoe observó el rostro de la mujer. Sus ojos eran de un extraño color amarillento traslúcido, como si uno pudiera ver a través de ellos. El esbozo de una sonrisa bailaba en sus finos y arrugados labios, haciéndola lucir simpática a pesar de su intensa mirada. Sin embargo, había algo un poco raro en ella. Pero se estaba ofreciendo a leer el futuro de forma gratuita, y eso no estaba nada mal.

—Eh... está bien —dijo Zoe.

Ella no creía en cosas mágicas, pero pensó que podría ser divertido. Además, siempre estaba buscando ideas para su próxima película, y nunca se sabía dónde podría encontrarlas.

Mía miró el reloj con ansiedad.

—Zoe, ¿y tu papá? —preguntó.

—Él puede esperar —respondió Zoe. Cuando algo se le metía en la cabeza, tenía que llegar hasta el final—. ¡Vamos, será divertido!

A la Gran Serafina le molestó ese comentario, pero Zoe no lo notó, y se fue directamente a la tienda. Mía no tuvo más remedio que seguirla.

La tienda de campaña era pequeña. Había velas encendidas por todas partes y el aroma del aire era muy fuerte. Zoe estornudó. El pequeño espacio transmitía una sensación cálida, casi acogedora, pero un poco extraña también. La cama personal, la mesa con una hornilla eléctrica y la jarra de agua que estaban en una esquina parecían bastante normales, pero la hilera de botellas antiguas llenas de líquidos y plantas se veía rara. En cuanto pensó esto, Zoe se rió para sus adentros y se tranquilizó.

"Todo es un *show*. Imposible que sea de verdad".

En el centro de la tienda había una pequeña mesa plegable y dos sillas. La mesa estaba cubierta con un mantel negro y no tenía nada encima, excepto una fila de velas a un lado.

Serafina le alcanzó una silla a Mía y le hizo un gesto para que se sentara. Mía miró a Zoe con temor antes de sentarse. Zoe sonrió y le guiñó un ojo, que era lo que siempre hacía cuando sabía que Mía estaba nerviosa por algo.

—Ahora vamos a ver lo que nos dicen las cartas, ¿les parece? —preguntó la mujer con el rostro iluminado por la luz de las velas. Se acomodó un par de lentes de armadura gruesa y mezcló un mazo de cartas que surgió de la nada.

Zoe podía ver a Mía por encima del hombro derecho de Serafina. Le hizo una mueca a su amiga y se rió.

—Tal vez te diga quién va a ser tu maestra de matemática el año próximo, Mía —soltó Zoe con una carcajada. Era como si no pudiera parar de reír de lo ridículo que le parecía todo.

Serafina entrecerró los ojos y miró a Zoe fijamente por encima de sus lentes.

Mía observó la expresión de la mujer.

—Zoe, *chis* —dijo poniéndose un dedo en los labios.

—¿Qué? —preguntó Zoe inocentemente—. ¿No te gusta la matemática? Era una broma.

Zoe se preguntó por qué su amiga se lo estaba tomando tan en serio. Evidentemente aquello era de mentira.

"Bueno, todo menos esa extraña cabeza de serpiente", pensó Zoe cuando vio una cabeza de serpiente que tenía entre las mandíbulas un pequeño frasco lleno de líquido, y que estaba sobre un pedazo de satén rojo en un rincón de la tienda. La cabeza de serpiente no parecía falsa. De hecho, parecía bastante real... y espeluznante.

—¿Alguna vez te han leído las cartas? —le preguntó la mujer a Mía.

—Humm, no —respondió Mía en voz baja.

—Bueno, yo provengo de una larga dinastía de adivinos italianos —dijo Serafina—. No te vas a decepcionar. Comencemos.

Lentamente, con sus dedos largos y huesudos, Serafina puso una carta del tarot sobre la mesa y, tras un minuto de silencio, comenzó.

—Muy pronto emprenderás un nuevo viaje —le dijo a Mía en voz baja.

—Sí, el séptimo grado —murmuró Zoe.

Esta vez, Serafina se volteó para lanzarle una mirada fulminante a Zoe. En cuanto sus ojos se encontraron, la chica sintió que se congelaba. La sensación de intranquilidad que había tenido fuera de la tienda regresó de golpe. Al principio, la mujer le había parecido bastante agradable y hasta amable, pero ahora veía algo siniestro en su mirada. Era casi como si pudiera leer sus pensamientos. Zoe dejó de bromear.

Serafina volvió a concentrarse en Mía y puso otra carta sobre la mesa.

—Este viaje, aunque no será fácil, cosechará mucha felicidad a largo plazo —dijo sonriéndole a Mía.

Zoe notó que su amiga se relajaba un poco.

Serafina dio unos golpecitos sobre la próxima carta con su uña pintada de color rojo sangre.

—Tu pasión te será muy útil en la vida.

—¡Quiero ser bailarina! —dijo Mía sonriendo.

La mujer le devolvió la sonrisa y asintió.

—Y lo serás.

Cuando terminó de leerle las cartas, la mujer le entregó a Mía una pequeña moneda con una pirámide tallada.

—Cariño, esto sellará tu fortuna —le dijo poniéndole la moneda en la mano y doblándole los dedos para que la agarrara bien—. Llévala siempre contigo.

—¡Gracias! —dijo Mía alegremente—. Parece que será un buen año. ¡Te toca a ti, Zoe!

Serafina se volteó de nuevo y miró a Zoe con atención mientras esta se dirigía a la mesa. Zoe le entregó el oso de peluche a su amiga y se sentó en la silla. Estaba ansiosa por conocer su suerte, ya que a Mía le había ido tan bien.

La mujer se aclaró la garganta y viró la primera carta.

—Humm... —dijo, y una sutil sonrisa se dibujó en sus labios delgados—. Parece que vas a tomar una mala decisión.

—Ah, está bien —respondió Zoe con una risita nerviosa.

—Zoe, ponte seria —dijo Mía dándole un golpecito en el hombro.

La mujer puso otra carta boca arriba y negó ligeramente con la cabeza.

—Esta decisión puede traer algunas consecuencias lamentables.

—¡Oye! —interrumpió Zoe, que ya estaba perdiendo la paciencia—. ¡La suerte de Mía fue mucho mejor!

Serafina se quitó los lentes y los puso sobre la mesa.

—¿Perdón? —dijo despacio.

—Zoe... —dijo Mía mirando a su amiga.

A Zoe se le aceleró un poco el pulso cuando Serafina le clavó los ojos, pero no se contuvo.

—Que la suerte de Mía fue mucho mejor. ¿Por qué a mí solo me dice cosas malas?

—¿Crees que las estoy inventando? —preguntó la mujer agitando la mano en el aire y alzando la voz.

—Bueno, es que... —tartamudeó Zoe—. ¿Por qué mi suerte no puede ser buena también?

Serafina dejó escapar un suspiro lentamente,

como cuando se sale el aire de un neumático de bicicleta o como un silbido de serpiente.

—¿Quieres que termine o no? —preguntó.

—Supongo que sí —dijo Zoe, aunque realmente no estaba segura de querer continuar.

La mujer puso la siguiente carta sobre la mesa. Esta vez una expresión terrible apareció en su rostro.

—Parece que estás en peligro —dijo.

—¡Oh no, Zoe! —dijo Mía quedándose sin aliento.

Zoe se movió torpemente en la silla. Ahora sí quería salir de la tienda, pero esperó a que Serafina terminara.

La mujer permanecía inmóvil mirando las cartas sobre la mesa. Zoe esperó tensa, pero después de otro minuto de silencio, se aclaró la garganta.

—Humm, ¿eso es todo? —tanteó.

De repente, Serafina levantó la vista. El pulso de Zoe se había acelerado mientras esperaba que la mujer hablara, pero la adivina se limitó a mirarla con la misma expresión vidriosa.

—Zoe, creo que deberíamos irnos —susurró Mía, apretando el oso contra su pecho.

Zoe asintió. El comportamiento de Serafina era muy extraño y estaba empezando a pensar que

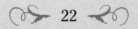

todo aquello era más espeluznante que divertido. Se movió para ponerse de pie, pero Serafina se levantó y se le acercó bruscamente, atravesándola con su mirada felina. Zoe también se puso de pie y sintió que el espacio de la tienda se iba reduciendo a su alrededor. Estaba mareada. ¿Por qué la mujer actuaba tan raro?

—Tengo que darte algo para sellar tu suerte —dijo finalmente Serafina con una sonrisa escalofriante.

Levantó las manos y se desabrochó el collar de cuero que llevaba puesto. Lo sostuvo frente a ella y avanzó con un movimiento robótico hasta ponerlo alrededor del cuello de Zoe, que se quedó helada.

—¿Qué hace? —preguntó Zoe sorprendida.

Pero una extraña sensación se apoderó de ella. De pronto, no podía mover los brazos y las piernas de tan pesados que estaban. Así que no le quedaba más remedio que dejar que Serafina le pusiera el collar.

—Te estoy otorgando el poder del ojo de la serpiente —respondió Serafina mecánicamente mientras movía la mano izquierda frente al collar—. *Il potere dell'occhio serpente di... Il potere dell'occhio serpente di... Il potere dell'occhio serpente di.*

Zoe palideció. ¿Qué significaba eso? No estaba

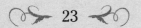

del todo segura, pero le parecía que la mujer estaba hablando en italiano. Miró a Mía. Su rostro estaba pálido; se veía aterrorizada.

—Yo... no puedo ponerme esto —dijo Zoe moviendo la cabeza y levantando el brazo para quitarse el collar, pero la mano de Serafina la detuvo.

—No tienes otra opción —dijo la mujer misteriosamente—. El ojo de la serpiente ha elegido. Es tuyo.

—Zoe, mejor nos vamos antes de que tu papá se preocupe —dijo Mía saliendo de una vez de la tienda y sosteniendo la cortina de la entrada.

La tensión en su voz era evidente.

—Sí, vámonos —respondió Zoe apartándose de la mujer.

Al salir, Zoe respiró profundo. El aire estaba sorprendentemente frío, pero por fin podía respirar de nuevo. Miró el collar. El colgante de plata deslustrada era como una serpiente enroscada que formaba un ojo. En el centro tenía incrustada una enorme piedra roja. Parecía un collar antiguo y pesaba como cien kilos. Era un poco incómodo, pero tenía algo que le gustaba. Cuando pasó el dedo sobre la piedra un calor le recorrió el cuerpo.

Se volteó para mirar la tienda, dudando si debía intentar devolver el collar otra vez... aunque por alguna extraña razón quería quedarse con él. Serafina estaba de pie en la entrada y la luz de las velas parpadeaba a su alrededor. Las sombras detrás de ella parecían llamas gigantes.

—Buena suerte —dijo Serafina de repente, con la misma voz grave y monótona. Entonces echó la cabeza hacia atrás y soltó una carcajada diabólica y ensordecedora.

Un escalofrío atravesó a Zoe. La luz de las velas se reflejaba en los ojos de la mujer, como si su mirada también ardiera en el fuego. Le dio la espalda y corrió hacia el auto de su papá. Mía ya estaba esperando adentro.

CAPÍTULO TRES

Mía regresó a la habitación de Zoe después de cepillarse los dientes.

—Cuéntame más sobre... ¿Zoe? ¿Zoe?

Zoe salió del armario junto a la puerta de la habitación.

—¡BUU!

—¡Ay! —Mía dio un brinco hacia atrás, apretando el cepillo de dientes contra su pecho—. ¡Zoe, casi me matas del susto!

—Lo siento, no me pude resistir —dijo Zoe desplomándose de la risa en la cama.

De repente, la ventana de la habitación crujió, y fue Zoe la que saltó esta vez. La antigua casa victoriana en la que había vivido desde que nació parecía hacer más ruido cada año. Las tablas del suelo rechinaban y las ventanas crujían constantemente. La chica se acercó a la ventana y miró afuera. Hacía un frío extraño, y la hierba y la calle estaban salpicadas con unas raras manchas de niebla. Las noches de Portland, en pleno agosto, siempre eran mucho más cálidas. Zoe se estremeció. Rápidamente cerró la ventana y corrió las cortinas. Después de haber conocido a Serafina se sentía más nerviosa de lo que quería admitir. Ella casi nunca se asustaba, y estaba decidida a demostrarse a sí misma que su inquietud no era más que un producto de su propia imaginación.

Regresó corriendo a la cama y se metió bajo el edredón. Acomodó una pila de almohadas en medio de la cama, sacó una linterna de la mesa de noche y apagó la lamparita.

—¡Vamos a contar cuentos de fantasmas!

Durante el verano, Zoe y Mía pasaban juntas por lo menos dos noches a la semana, y contar historias de terror era parte del ritual. Además, Zoe quería pensar en otra cosa que no fuera la mujer de la feria.

—Ya estoy bastante asustada, gracias —dijo Mía—. Con el susto que me acabas de dar y tu terrible destino, ya tengo suficiente.

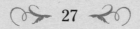

—Sí, eso fue muy extraño —admitió Zoe—. Creo que Serafina lo hizo a propósito, porque le molestaron mis chistes.

Zoe quería sacarse a esa mujer de la mente, pero era difícil lograrlo mientras llevara el pesado collar en el cuello. Pensó en quitárselo tan pronto llegó a casa, pero por alguna razón que no podía entender, se lo dejó puesto. Zoe no solía usar joyas, a menos que se tratara de un brazalete de cuero o plástico. Ni siquiera tenía las orejas perforadas. Pero le parecía que sería un error quitarse el collar. Todo era demasiado raro para contárselo a Mía. Lo mejor que podía hacer era recordar que los hechizos y los trances y los fantasmas eran... eso, historias, *ficción*.

—¿Entonces? ¿Cuentos de fantasmas? —insistió Zoe.

Mía acariciaba con el dedo la flor roja del edredón.

—Bueno, está bien —accedió finalmente entre suspiros—. Empieza tú.

Zoe sonrió y se puso la linterna bajo la barbilla, iluminando las pecas que salpicaban sus mejillas y distorsionando su rostro con las sombras.

—Está bien. Una noche, una joven pareja se dirigía a su casa al salir del cine. Afuera todo estaba oscuro como el carbón, en el cielo no se veía ni la luz de la luna. Cuando iban por una carretera vieja, el auto se averió.

—Buenísima… —dijo Mía interesada.

—Entonces, el hombre decidió caminar hasta una casa que había visto en la carretera principal para pedir ayuda. Pensó que era mejor que la mujer se quedara en el auto por si alguien pasaba.

—¡Oh, nunca es una buena idea separarse! —exclamó Mía negando con la cabeza.

—Así que el hombre besó a la mujer y se fue —continuó Zoe—. En medio de la oscuridad, la mujer se sentó en el auto a esperar. Comenzó a girar el dial de la radio con la esperanza de conseguir una buena estación, pero había interferencia… de pronto, escuchó una voz por la radio que decía: "¡Cuidado! Cuidado !". La mujer miró por la ventana. Era un…

De repente, se oyó un rasguño en la ventana de la habitación.

—¡Ahhhh! —gritaron las chicas al unísono.

—¿Oíste eso? —preguntó Mía con voz temblorosa.

—¡Claro! ¿Por qué crees que grité? —susurró Zoe—. ¿Qué fue eso?

Las chicas oyeron de nuevo el mismo ruido y Mía se aferró al brazo de Zoe.

—Ve a ver —dijo.

Zoe tampoco le soltaba el brazo a Mía. La imagen de los ojos translúcidos de Serafina le vino a la cabeza.

—Ve a ver tú —dijo Zoe, y encendió la lamparita de la mesa de noche.

Las chicas se quedaron paralizadas en la cama. Y el rasguño se volvió a escuchar.

Zoe contuvo la respiración. Saltó de la cama, fue hasta la ventana y corrió la cortina. Las dos volvieron a gritar. Entonces Zoe rió.

—Es solo la rama del árbol —dijo.

Mía se echó para atrás en la cama y se rió aliviada.

—Veo que Wendell está allá afuera en el césped —agregó Zoe—. Voy a abrirle para que entre.

Zoe salió del cuarto, bajó las escaleras y fue a abrirle la puerta a su enorme y atigrado gato marrón. Intentaba respirar profundamente para calmarse. Odiaba admitir que se había asustado.

"Por supuesto que se trataba de una rama —pensó—. Los fantasmas no existen, ¿verdad?"

Pero cuando abrió la puerta de la casa y Wendell entró, se dio cuenta de que no corría la más mínima brisa. ¿Qué pudo haber movido la rama del árbol contra la ventana si no había viento?

Zoe se estremeció, cerró la puerta y pasó el cerrojo antes de volar escaleras arriba hasta su habitación. Mía ya estaba acurrucada en el saco de dormir. Se veía cansada y tensa. Normalmente era ella la que se asustaba por los ruidos en la noche, sobre todo en esa casa tan antigua; pero Zoe siempre había sido más racional y valiente. Sin embargo, esta noche había sentido miedo de verdad.

Se metió a la cama y, cuando se inclinó para apagar la lamparita, se acordó del collar. Miró la piedra roja que descansaba sobre la intimidante serpiente enroscada y negó con la cabeza.

"No debo usar más esta cosa —pensó. Se sentó en la cama e intentó quitarse el collar, pero algo la detuvo. Era como si una fuerza invisible lo rodeara. Se sintió mareada y sudorosa. Miró a Mía, pero su amiga ya estaba dormida—. Esto no me puede estar pasando. Debo estar tan cansada que estoy imaginando cosas".

Zoe alejó las manos del collar. Se inclinó rápidamente hacia la lamparita y la apagó. Se cubrió con las mantas hasta la barbilla y trató de pensar en Noé y en la noria y en dormir... en todo menos en el collar. Pero pasó esa noche dando vueltas y más vueltas. Tuvo sueños increíbles sobre la feria y Serafina. Soñó que la mujer la perseguía por la casa de la risa con una serpiente en la mano. Luego soñó que estaba en la noria con Noé. De repente, Serafina apareció de la nada y empujó a Noé. Y después tuvo otro sueño en el que la adivina estaba sentada en la rama del árbol, junto a la ventana de su habitación. Tenía los ojos rojos como la piedra del collar y seguía gritando "buena suerte, buena suerte..." en un tono sobrecogedor mientras la rama arañaba la ventana.

A la mañana siguiente, Zoe sintió que no había pegado un ojo en toda la noche. Los sueños se reproducían en su cabeza como una mala película. Miró el collar y dudó en tocarlo, pero su mano se cerró sin esfuerzo alrededor del mismo.

"Bueno, anoche debo haber estado muy cansada", pensó.

Ahora que estaba segura de que podía quitarse el collar si quería, no le dio importancia y se lo puso por dentro de la camiseta. Entonces le dio un codazo a Mía.

—Despierta, dormilona.

Mía bostezó y se incorporó poco a poco.

—¿Cómo dormiste? —preguntó Zoe.

—¡Como una piedra! —contestó Mía.

Zoe deseó poder decir lo mismo.

—¡Me muero de hambre! —dijo Mía estirándose, y Zoe se echó a reír.

—Vamos a ver qué encontramos.

Cuando bajaron lo primero que vieron fue una nota del papá de Zoe sobre la mesa de la cocina. El papel estaba pegado a una caja de rosquillas.

Estimadas y encantadoras damas:

Lamento informarles que me han llamado para un importante negocio en el mercado de los agricultores. Tengo que recoger algunos arbustos para mi nuevo trabajo de jardinería. Espero que comprendan. Para ayudar a aliviar el dolor de mi ausencia, les he dejado un desayuno saludable y altamente nutritivo. Espero que lo disfruten.

(Mía, no se lo digas a tu mamá). Nos vemos en un rato.

Cariños,

Papá

—Tu papá es el mejor —dijo Mía.

Zoe puso las rosquillas en un plato y se dirigió a la sala. Conner, su hermano mayor, estaba en un campamento de baloncesto, así que tenían toda la casa para ellas solas.

—Sí —sonrió Zoe.

Los papás de Zoe se habían divorciado cuando ella estaba en primer grado. Su mamá había aceptado un trabajo enseñando historia en una pequeña universidad que quedaba muy lejos, en Canadá, y Zoe y su hermano se quedaron en Portland con su papá porque el trabajo de su mamá le robaba muchas horas. La chica solo veía a su mamá un par de veces al año. Ella se había vuelto a casar, y Zoe sentía que mientras más pasaba el tiempo, más se alejaba de su vida. No se imaginaba contándole de Noé, de las clases de cine o de algo que le interesara en general. Esas cosas las conversaba con su papá. Y sabía cuánto se esforzaba él en tratar de ser papá y mamá a la misma vez.

Zoe y Mía se sentaron en el sofá y cada una cogió una rosquilla.

—¿Y entonces? Todavía no hemos hablado de lo que sucedió anoche con Noé en la noria —dijo Mía entre bocado y bocado—. ¡Estoy loca por escuchar toda la historia!

Zoe puso su rosquilla en el plato para concentrarse mejor.

—Pues le dije que me alegraba de que hubiera ido a la feria —comenzó.

—¿En serio? —exclamó Mía—. ¡Bien hecho!

—Entonces me preguntó por mi interés en el cine —continuó Zoe—. Él ya sabía que había tomado un curso en el Instituto de Arte de Portland, así que debe de haberlo averiguado.

—¡Genial! —comentó Mía—. Puntos para Tina y Andrés por ponerlo al día.

—¡Totalmente! —afirmó Zoe llena de emoción—. Entonces me preguntó si podía darle mi número de teléfono para invitarme a salir algún día.

—¡Perfecto! —suspiró Mía.

—Todavía no puedo creer lo nerviosa que me puse, Mía. Tenía la cara en llamas.

—Estoy segura de que Noé también estaba nervioso —dijo Mía para consolarla—. Es un chico tan tranquilo. Y me encantó que te regalara el oso que ganó en el juego.

—¡Ay, sí! —sonrió Zoe—. Es tan lindo.

Mía terminó su segunda rosquilla y se puso de pie, sacudiéndose algunas migas de chocolate del regazo.

—Bueno, debería vestirme y volver a casa. Se supone que hoy debo ayudar a mi mamá a limpiar el garaje.

—¿Quieres que vaya contigo? —preguntó Zoe—. Puedo ir en mi bicicleta.

—¡Claro, gracias! —contestó Mía.

—Listo, déjame escribirle una nota a mi papá.

Un rato después, Zoe y Mía se paseaban tranquilamente por su barrio al sureste de Portland. Los enormes árboles que bordeaban las calles creaban una agradable sombra. A lo lejos se oía la música de un camión de helados y unos cuantos niños gritando y jugando.

—Bueno, hay algo más que no te he contado —dijo Zoe.

—¡Oh, oh! —exclamó Mía—. ¿Y qué es?

—Cuando estábamos en la noria, Noé…

Justo en el momento en que Zoe iba a decirle a su amiga que Noé le había tocado la mano, la chica vio con el rabillo del ojo algo que le llamó la atención. Al levantar la vista, vio a un cuervo gigante salir volando de un árbol y dirigirse directamente hacia ella.

—Pero esto qué... —gritó Zoe tirándose de la bicicleta. Sintió el batir de las alas del cuervo como una ráfaga de viento. El pájaro pasó a pocos centímetros de su cabeza—. ¿Viste eso?

—¡Sí! —dijo Mía ya al lado de Zoe—. Creo que fue ese cuervo gigante que está posado en el pino. ¿Lo ves?

—Uf... —dijo Zoe con el corazón en la boca—. Parece que nos está mirando.

—Vamos —dijo Mía—, antes de que decida lanzarse sobre nosotras otra vez.

Las chicas se fueron en sus bicicletas y doblaron por una calle para tomar un atajo hasta la casa de Mía. Zoe parecía preocupada.

—Eso que hizo el pájaro fue muy extraño —dijo con voz ronca. Tenía la garganta seca.

—Sí —afirmó Mía encogiéndose de hombros—. Jamás había visto algo así.

A Zoe le vino a la mente "el poder del ojo de la serpiente". ¿Tendría algo que ver? Mientras más lo pensaba, más miedo le daba la mujer de la feria. Mía no parecía muy afectada por lo que acababa de pasar… y ella no quería ponerla nerviosa. Después de todo, Mía era la que siempre se asustaba. Por eso decidió no mencionar a Serafina y tratar de olvidar el incidente.

Cuando las chicas llegaron a la casa, vieron que la mamá de Mía ya había sacado la mitad de las cosas del garaje y las había puesto sobre el césped.

—¡Qué bárbara! —exclamó Mía irónicamente.

—¡Zoe! —dijo la mamá de Mía detrás de una montaña de trastos. La mamá de Mía tenía el pelo negro como el azabache y los ojos rasgados igual que Mía, pero parecía más bajita que su hija—. ¿Viniste a ayudarnos en nuestro proyecto?

—Eh… —tartamudeó Zoe. Por mucho que quisiera a su amiga, ayudarla a ella y a la Sra. Wang a limpiar el garaje era lo último que deseaba hacer en ese hermoso día de verano.

—No, mamá —dijo Mía—. Zoe tiene mejores cosas que hacer hoy.

—¿Qué dijiste, cariño? —preguntó la Sra. Wang mientras arreglaba las cajas en el césped.

Mía puso los ojos en blanco y Zoe soltó una risita.

—Buena suerte —dijo Zoe despidiéndose de su amiga y, sin ninguna razón aparente, recordó a Serafina a la luz de las velas.

—Hablamos más tarde —dijo Mía mientras reorganizaba de mala gana la torre de cajas.

De regreso a casa, Zoe decidió tomar el camino largo y pasar por el Parque Laurelhurst. Además de ser su parque favorito, quería aprovechar al máximo el día soleado. Mientras disfrutaba del paseo en bicicleta, pensaba en Noé. Después de todo se alegraba de no haberle contado a Mía la parte en que él le tocó la mano. Le gustaba más guardarlo en secreto... al menos por ahora.

De repente, el manubrio de la bicicleta se sacudió violentamente hacia la derecha. Zoe trató de enderezarlo y mantener el equilibrio, pero perdió el control. La bicicleta se fue hacia la cuneta a un lado del camino y Zoe cayó de cabeza al suelo. Sintió una fuerte punzada en el codo y vio que sus *shorts* se habían enganchado en la cadena de la bicicleta y se habían desgarrado. Atolondrada y confundida, se sentó. Con las manos temblando, revisó si tenía otras lesiones. Aparte de un rasguño en la rodilla y el corazón galopante, todo parecía estar bien. El nerviosismo que había sentido al hablar con Noé o subir al Kamikaze había sido divertido, pero el que experimentaba ahora era totalmente diferente.

Salió de la cuneta y trató de sacudirse la tierra de la ropa y las piernas. Respiró profundo y recogió la bicicleta. Intentó montarse nuevamente en ella, pero la bicicleta la lanzó de nuevo a la cuneta. Zoe dio un salto.

"¿Qué está pasando?", pensó muerta de miedo.

No paraba de preguntarse si lo que estaba viviendo tendría algo que ver con la predicción de la extraña mujer. "Parece que vas a tomar una mala decisión", había dicho Serafina. "Esta decisión puede traer algunas consecuencias lamentables". Tal vez la caída de su bicicleta era la "consecuencia lamentable". ¿Pero cuál había sido la mala decisión? Zoe pensó que debía haber cuidado más su bicicleta desde que se la regalaron por su cumpleaños.

"¡Sí! —pensó—. ¡Seguro que se refería a eso! No debí dejar mi bicicleta bajo la lluvia la semana pasada. Tal vez se oxidó un poco y por eso el manubrio se atascó. Esa debe de haber sido la mala decisión".

Buscó en su bolsillo y se dio cuenta de que había dejado su celular en casa.

"Otra mala decisión", se dijo.

Como no pudo llamar a su papá para que fuera

a recogerla, tuvo que regresar a casa arrastrando la bicicleta.

Cuarenta y cinco minutos más tarde, había llegado a su destino. Su papá trabajaba en el garaje. Cuando vio el rasguño en la rodilla ensangrentada de Zoe, salió corriendo a su encuentro.

—¿Qué te pasó? —preguntó preocupado. Agarró la bicicleta y la llevó hasta el garaje.

Zoe no sabía por dónde empezar ni cómo explicarse. Durante el largo camino de regreso había logrado calmarse, pero en cuanto vio a su papá le brotaron las lágrimas... y se molestó de nuevo. ¿Por qué a veces se sentía como una bebé frente a su papá?

—No lo sé —dijo—. No podía controlar la bicicleta. El manubrio se desvió y... me caí en una cuneta.

—Bueno, siéntate aquí un momento —dijo su papá dulcemente—. Vamos a limpiarte el codo y la rodilla, y luego le echamos un vistazo a la bicicleta. ¿Está bien?

—Sí —sollozó Zoe respirando profundamente para calmarse.

Su papá regresó con peróxido de hidrógeno y un puñado de algodón y curitas. Ella daba un saltito cada vez que él le limpiaba la herida con el peróxido. Cuando su papá terminó, se acercó a mirar la bicicleta.

Se sentó en el asiento y giró el manubrio a un lado y al otro.

—Hasta ahora todo luce bien —dijo. Luego se montó y dio una vuelta en círculo frente al garaje—. Para mí está perfecta —agregó—. Tal vez deberíamos ajustar más el manubrio.

Zoe asintió. Tal vez la bicicleta no tenía nada y fue ella quien pasó por encima de una piedra o algo así mientras paseaba.

—Déjame buscar una llave inglesa —dijo su papá.

La chica lo siguió hasta el clóset de herramientas. Su papá abrió la puerta y comenzó a buscar en uno de los estantes más bajos. Zoe oyó un chirrido encima de ella y levantó la vista justo a tiempo para ver caer un martillo del borde del armario. Le pareció tan increíble lo que estaba sucediendo que se quedó paralizada, sin atinar a mover el pie antes de que la cabeza del martillo le golpeara el dedo gordo.

—¡Ayyy! —gritó agarrándose el pie.

—¡Zoe! —exclamó su papá recogiendo el martillo—. ¡Lo siento, cariño!

—Estoy... estoy... bien, papá —logró decir Zoe entre lágrimas.

Su papá no había buscado encima del armario. ¿Cómo le había caído ese martillo en el pie?

—Tengo que tener más cuidado —dijo el papá de Zoe disculpándose.

—Pero no fue tu culpa —susurró la chica débilmente—. Creo que voy a acostarme un rato. No dormí muy bien anoche.

Zoe entró cojeando a la casa, con la esperanza de que su dedo hinchado fuera el último capítulo de su mala suerte.

CAPÍTULO 4

Esa misma tarde, Zoe caminaba con dificultad por el patio de la casa. En una mano sostenía un vaso con jugo de frutas que ella misma había preparado, y en la otra, una bolsa de guisantes congelados y un ajado ejemplar de su libro favorito. Bajo el brazo llevaba una toalla de playa y una almohada.

Fue cojeando hasta el extremo del patio y extendió la toalla sobre la hamaca. Cuando empezaron las vacaciones, le había suplicado a su papá que le comprara una hamaca, y ya le había demostrado que no había sido en vano. De hecho, leer acostada en la hamaca se había convertido en su actividad favorita, aparte de salir con Mía, por supuesto. Se acomodó con cuidado y se colocó suavemente la bolsa de guisantes sobre la uña (ahora de color púrpura) del dedo gordo del pie. Se recostó hacia atrás y apoyó la cabeza en la almohada.

Al rato, pasó su papá.

—Oye.

—¿Sí, papá? —respondió Zoe.

—Voy a hacer unas diligencias. Mañana empiezo un trabajo grande de jardinería en Beaverton, así que tengo que comprar algunas cosas más.

—Está bien.

—¿Estás bien? —preguntó su papá preocupado—. ¿Cómo está tu herida? ¿Y el dedo?

—Están bien —respondió Zoe—. Solo me estoy congelando el pie…

—Bueno, tómalo con calma.

—Sí, señor —dijo Zoe sonriendo y diciendo adiós con la mano.

—¡Oh, casi lo olvido! —dijo su papá regresando—. Hice lasaña para la cena.

—¡Qué rico! —exclamó Zoe.

La lasaña era su plato favorito. Seguro que su papá la había hecho porque se culpaba del incidente del martillo.

—Está en la nevera —añadió su papá—. ¿La puedes poner en el horno a las cinco de la tarde?

—Claro, no hay problema —dijo Zoe.

—Solo tienes que hornearla a 350°F, ¿de acuerdo? Yo debo estar de regreso a las cinco y media.

—Perfecto.

El papá de Zoe le dio un beso en la frente y salió rumbo al garaje. Cuando Zoe oyó alejarse el camión, programó la alarma en su celular para las cinco. Todavía le quedaba un montón de tiempo para leer.

La alarma comenzó a sonar y Zoe casi se cae de la hamaca. Se había quedado dormida. Le tomó un minuto darse cuenta de dónde estaba y de dónde venía ese molesto sonido. Encontró su celular en la hierba y apagó la alarma. Luego recogió sus cosas y se dirigió a la cocina. La bolsa de guisantes que había tenido puesta en el pie se veía fatal.

"Al menos el dedo me duele menos", pensó... aunque mirándolo bien estaba muy oscuro, casi negro.

En cuanto abrió la puerta de la cocina sintió un olor extraño, como cuando su papá encendía la calefacción por primera vez en el otoño. Pero aún hacía demasiado calor para que él la hubiera prendido. Zoe soltó la toalla y el libro sobre la mesa del comedor y echó un vistazo por la habitación. Todo parecía normal.

Abrió la nevera para buscar la lasaña, pero no estaba en el estante superior... ni en ningún otro estante. Tal vez su papá la había guardado en el congelador. Pero allí tampoco estaba.

El olor extraño empeoraba a cada segundo. Era como si algo se estuviera quemando. Zoe se volteó hacia el horno y se le cortó la respiración. ¡El interior del horno estaba en llamas! Nunca había visto algo igual. Corrió a apagarlo y se detuvo. El horno ni siquiera estaba encendido.

—¿Pero cómo es...? —susurró.

¿Qué estaba pasando? Estaba aterrorizada.

"Ni siquiera está encendido. ¡El horno no está encendido!", se decía una y otra vez.

Zoe daba vueltas en círculo sin saber qué hacer.

"¿Debería llamar a los bomberos? Pero, ¿y si no llegan lo suficientemente rápido?", pensó.

Se quedó mirando el horno estupefacta. Entonces recordó que había un extintor de incendios en el garaje. Salió corriendo a buscarlo lo más rápido que pudo a pesar de su dedo lesionado. El corazón le latía de prisa.

Cuando encontró el extintor, leyó las instrucciones a toda velocidad y decidió rociar un poco de espuma por fuera del horno antes de abrirlo. Luego buscó en un cajón las pinzas de madera de servir la ensalada y las usó para abrir la puerta.

Enseguida roció espuma en el interior. Por suerte, el fuego se extinguió rápidamente, pero el humo activó la alarma de incendios.

Zoe abrió frenéticamente todas las puertas y ventanas, encendió ventiladores y con una toalla intentó sacar el humo por la ventana más cercana. Por fin la alarma dejó de sonar. Ahora Zoe estaba desgreñada y sudaba a chorros. Se desplomó en el suelo, tratando de recuperar el aliento. Cuando se calmó, miró el horno de nuevo. Había algo en su interior. ¡Era el recipiente carbonizado de lasaña!

Trató de encontrar una explicación razonable. ¿Habría su papá cambiado de opinión y puesto la lasaña en el horno antes de marcharse? No, Zoe lo había visto caminar directamente hasta el garaje después de hablar con ella en el patio. ¿Habría Conner regresado temprano y puesto la lasaña en el horno? No, él nunca regresaba del baloncesto antes de las seis. Y, además, nada de eso explicaba el fuego sin estar el horno encendido. No tenía sentido.

"¿Y si alguien había entrado en la casa?", pensó Zoe. La cabeza le daba vueltas y vueltas.

Pasó los veinte minutos siguientes caminando por la cocina, retorciendo mechones de pelo entre sus dedos temblorosos. Estaba desesperada por que llegara su papá. Cuando oyó abrirse la reja del garaje y el ruido del camión, sintió que le venía el alma al cuerpo.

"Por fin", pensó aliviada, y se apresuró a abrir la puerta.

—¡Pero Zoe! —gritó su papá en cuanto entró a la cocina—. ¿Qué pasó? ¿Estás bien?

Zoe se echó a llorar y su papá la abrazó.

Después de un minuto, Zoe se apartó y se secó las mejillas.

—Sí, estoy bien... Supongo —dijo con la voz temblorosa—. No sé qué pasó... yo... el horno... ni siquiera estaba...

—Está bien, cariño. Fue un accidente —interrumpió su papá mientras miraba el desastre que era la cocina—. ¿Pusiste el horno demasiado alto?

—No, ni siquiera... —trató de explicar Zoe, pero las lágrimas volvieron a inundar sus ojos.

—Está bien, Zoe —repitió su papá mientras le secaba una lágrima con el paño de cocina—. Debes haber encendido el horno accidentalmente y la lasaña se quemó. Fue un simple error.

—Pero papá, ¡el horno ni siquiera estaba encendido! —logró decir Zoe entre sollozos—. ¡Yo no lo había encendido todavía!

—Cariño, eso es imposible —dijo su papá pacientemente—. ¿Otra vez te quedaste dormida en la hamaca? Sé que tú y Mía apenas duermen cuando ella se queda. Quizás estabas medio dormida y no te diste cuenta.

—No, yo... bueno, sí, me dormí un minuto, pero te juro que... yo... —tartamudeó.

Por la mirada de su papá, Zoe notó que estaba convencido de que ella había encendido el horno.

—Yo me encargo de esto, cariño —dijo el papá de Zoe—. ¿Por qué no vas a tu habitación y descansas un poco?

—Pero, ¿y la lasaña? —dijo Zoe extendiendo el recipiente quemado. Tenía puestas las agarraderas que había hecho en segundo grado con la Sra. Mahoney—. Ya no sirve —añadió sintiendo ganas de llorar.

—Cuando termine de limpiar la cocina y llegue Conner, vamos a pedir comida china —dijo su papá.

Zoe suspiró.

—Está bien.

Subió a su cuarto y se desplomó en la cama. Se quedó inmóvil mirando al techo durante un largo rato, mientras trataba de reproducir en su mente los eventos del día. Primero la bicicleta, después el martillo y ahora la lasaña quemada. Nada tenía sentido. No podía entender por qué habían pasado todas esas cosas. Tal vez su papá tenía razón y simplemente era que estaba demasiado cansada. Tal vez su mente le estaba jugando una mala pasada. O tal vez la mujer de la feria tenía razón y ahora debía enfrentarse a las "consecuencias lamentables".

Pero lo de la lasaña no tenía nada que ver con haber dejado la bicicleta bajo la lluvia. ¿Cuál podría ser la mala decisión que provocó eso? ¿Quedarse dormida en la hamaca? Zoe rió desconcertada. Sí, todo era tan ridículo... pero también aterrador.

Durante la cena, Zoe sintió que su papá estaba realmente preocupado por los accidentes que ella había tenido ese día, pero Conner lo mantuvo entretenido con sus cuentos del baloncesto. Apenas terminó de cenar, aprovechó y se escapó a su habitación para conectarse al internet. Quería revisar su correo y chatear con Mía. Conectó su iPod a los altoparlantes y puso su banda favorita. Luego buscó su computadora portátil. Su mamá tenía una peculiar manera de compensar su ausencia enviándole regalos caros. A Zoe le encantaba tener un iPod y una computadora, pero los hubiera cambiado con los ojos cerrados por una verdadera relación con su mamá.

Abrió su correo electrónico y se estremeció cuando vio el nombre de Noé en su bandeja de entrada. Dio un pequeño salto en la silla y abrió el mensaje. Tal vez este no era el peor día de su vida. Pero cuando empezó a leer, se dio cuenta de que sin duda lo era.

Zoe:

Si no querías salir conmigo me lo podrías haber dicho anoche en la feria. ¡No tenías que enviarme una lista con todas las cosas que no te gustan de mí! Realmente no entiendo cuál es tu problema. Pero no te preocupes. No te voy a llamar ni molestar más.

Noé

Zoe estaba petrificada. Se quedó mirando la pantalla y releyendo el correo de Noé una y otra vez. Hasta que bajó la vista y se dio cuenta de que Noé estaba respondiendo a… ¡un correo escrito por ella misma! Una sensación de malestar, ya familiar, se apoderó de su ser mientras leía las palabras en la pantalla:

Noé:

No puedo creer que te haya dado mi número anoche. Realmente no quiero salir contigo. Creo que eres aburrido y feo y me daría vergüenza que mis amigos nos vieran juntos de nuevo. No sé en qué estaba pensando. Por favor, no me llames nunca.

Zoe Margaret Coulter

Zoe apoyó la cabeza entre las manos y gimió. ¿Quién le pudo hacer una broma tan cruel? Pero además, ¿quién tuvo acceso a su correo? Se acordó de un problema que hubo en la escuela a principios de año, cuando alguien pirateó el sistema informático y envió falsos correos electrónicos desde las cuentas de varios profesores. ¿Era posible que lo mismo hubiera sucedido en esta ocasión? Sin embargo, esa persona tendría que saber lo que pasó en la feria la noche anterior. Además de saber su segundo nombre. Solo cuatro personas en el mundo lo sabían: sus papás, su hermano y Mía.

"Oh... y ahora Noé", pensó tapándose la cara otra vez. No había manera de que Mía le hiciera algo así. Entonces, pensó en Conner. Se levantó de su escritorio, salió por el pasillo y abrió la puerta de la habitación de su hermano sin llamar.

—Oye, ¿qué haces? —dijo Conner levantando la vista de la computadora.

—¡No puedo creer que me hicieras esto, Conner! —gritó.

—¿De qué estás hablando? —preguntó Conner sorprendido.

—¡Pirateaste mi cuenta de correo y le enviaste una broma de mal gusto a Noé!

—¿Qué? ¿Quién es Noé?

—No te hagas el tonto —dijo Zoe con la voz temblorosa—. ¡Sé que fuiste tú!

—Zoe, relájate —dijo Conner—. ¿De qué hablas?

Zoe se quedó mirando a su hermano sin saber qué pensar. Conner se echó hacia atrás como si temiera que ella lo atacara. Se dio cuenta de que no podía ser lo que había sospechado. Conner estaba tan ocupado con el baloncesto que probablemente hasta había olvidado que tenía una hermana. Y tampoco tenía sentido que fuera él. Ellos no habían tenido una pelea en meses, y él ni siquiera sabía quién era Noé, ni que habían ido a la feria la noche anterior.

—Lo siento —dijo Zoe en voz baja—. Es que de pronto me asusté.

—Oh, sí, ya me di cuenta —dijo Conner riendo.

—No me hagas caso —murmuró Zoe, saliendo otra vez al pasillo.

Cerró la puerta de la habitación de su hermano suavemente, regresó corriendo a su habitación y se conectó al chat. Por suerte, Mía estaba conectada. Estaba desesperada por contarle lo que había pasado.

Zoe503: Mía?

LaBailarina: Eh! Q pasó?

Zoe503: no vas a creer mi día

LaBailarina: Q?

Zoe503: cuando salí de tu casa me caí de la bicicleta en una cuneta

LaBailarina: serio?

Zoe503: después me cayó un martillo en el dedo del pie

LaBailarina: naa! Uf

Zoe503: tenía que poner la lasaña en el horno a las 5

LaBailarina: con lo que a ti te gusta la lasaña

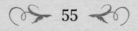

Zoe503: entré a las 5 y ya la lasaña estaba en el horno... cogió candela!

LaBailarina: Q???!!??

Zoe503: el interior del horno estaba en llamas, y el horno no estaba encendido todavía. M, serio, no sé qué está pasando.

LaBailarina: Q x 100! No entiendo nada .

Zoe503: ENTONCES (espérate que la cosa no termina ahí)

LaBailarina: eh?!

Zoe503: recibí un correo de Noé. Lo busco y te lo reenvío ahora mismo...

LaBailarina: Uuuy! K emocionante!!

Zoe503: no. emocionante nada. lo peor del mundo.

Zoe503: te llegó?

LaBailarina: ahora mismo...

LaBailarina: Zoe! por qué le escribiste eso?????

Zoe503: No!

LaBailarina: cómo que no?

Zoe503: lo primero que pensé fue que había sido Conner. le dije mil cosas, pero no fue él. no sé si alguien entró a mi correo o qué, pero yo no lo escribí!

LaBailarina: Z... q locura!

LaBailarina: y q vas a hacer?

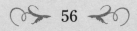

Zoe503: esconderme en una cueva y no salir!!! no sé!

Zoe503: qué debería hacer? me he quedado muerta!

LaBailarina: ven mañana. algo se nos ocurrirá

LaBailarina: estás bien?

Zoe503: En realidad no, pero... ya pasará

LaBailarina: mándame un mensaje de texto mañana y ven

Zoe503: ok

Zoe volvió a abrir el correo para leerlo una vez más. Pensó responderle a Noé, pero después decidió esperar y hablar con Mía primero. Justo cuando estaba a punto de desconectarse apareció otra ventana de conversación en su pantalla.

`Zoe...`

Zoe503: Mía?

`No es Mía.`

Zoe se quedó mirando la pantalla. Quien fuera que escribía ni siquiera tenía un nombre.

Zoe503: quién es?

`Una advertencia.`

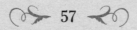

Zoe503: Conner eres tú?

No es Conner.

Zoe503: esto no es gracioso

Tienes razón, Zoe. No es gracioso.

A Zoe le subió el corazón a la boca.

¡Tu suerte se ha acabado, Zoe!

Le temblaba tanto la mano que le tomó tres intentos cerrar la ventana. No podía ver el chat en su pantalla por más tiempo. Cerró su computadora portátil sin apagarla y voló tan de prisa desde su escritorio que la silla se estrelló contra el suelo.

—¿Zoe? —preguntó su papá desde el pasillo—. ¿Todo bien?

—Sí, papá —respondió Zoe con la voz temblorosa—. Se cayó mi silla. Ya me voy a acostar.

—Venía a ver si querías tu galleta de la suerte que vino con la comida china —dijo su papá desde detrás de la puerta de la habitación—. La dejaste en la mesa.

—Humm... sí, claro que la quiero —dijo Zoe abriendo la puerta—. ¿Papá? ¿Tú crees en la suerte? —añadió con un hilo de voz.

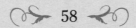

—Solo en la buena —dijo su papá mientras le besaba la frente—. Duerme bien, mi amor.

—Buenas noches —dijo Zoe, y cerró la puerta.

En cuanto su papá se marchó, retiró la envoltura de la galleta y sacó el pequeñísimo papel. Lo abrió poco a poco, y luego se desplomó en la cama. El mensaje decía: SE AVECINAN PROBLEMAS. TAL VEZ SEA MEJOR QUEDARSE EN CAMA.

CAPÍTULO CINCO

Al día siguiente, Zoe se despertó tarde. Le había costado horas conciliar el sueño después de todas las cosas que le habían pasado. Logró dormirse como a las tres de la madrugada, por eso eran ya las once de la mañana y todavía no se había levantado.

Al abrir los ojos lo primero que notó fue el collar. No había pensado en él desde la mañana anterior, aunque todavía lo llevaba puesto. Tocó la piedra durante unos segundos y rápidamente se lo quitó y lo puso sobre la mesa de noche. Al instante, su cuerpo se sintió más ligero, pero también extraño. Se dio cuenta de que extrañaba el collar en su pecho.

Trató de no pensar en eso y se fue a dar una ducha. Después, se cepilló los dientes, se recogió el cabello aún húmedo en una gruesa trenza y se fue a vestir a su habitación.

Sacó unos *shorts* negros y una camiseta verde con letras blancas. Mientras se vestía, se sentía entumecida, diferente. Echó un vistazo al collar que se encontraba sobre la mesa de noche y, de repente, se dio cuenta de que tenía que ponérselo de nuevo. No sabía bien por qué, pero fue lo primero que le vino a la mente. De alguna manera, tenía la sensación de que si no se lo ponía, algo terrible le iba a suceder. Lo cogió de la mesa y se lo volvió a colgar del cuello, tratando de no darle mucha importancia al asunto.

"Es solo un tonto collar", se dijo.

Bajó las escaleras y encontró la casa vacía... y otra nota de su papá:

Buenos días, cariño. Como ayer estabas tan cansada pensé que era mejor dejarte dormir. Conner estará en el baloncesto hasta las seis y yo voy a estar trabajando en Beaverton todo el día. Llámame si necesitas algo. ¡Te quiero!

Zoe se sirvió un plato de cereal y se sentó a la mesa de la cocina. Sacó su celular del bolsillo del *short* y le envió un mensaje de texto a Mía: hola M, a qué hora voy?

Mía respondió al instante: llego a las 2 del ballet, ven a esa hora.

Zoe terminó el cereal y subió de nuevo a su habitación. Sacó la videocámara digital de lujo (otro regalo de su mamá) para trabajar un rato en una película. Al profesor Meyer del Instituto de Arte le había encantado y le había sugerido que siguiera trabajando en ella durante todo el verano. Cuando se trataba de cine, Zoe solía entusiasmarse al momento, pero esa mañana se sentía tan distraída que apenas podía concentrarse.

Se sentó en la cama con la videocámara apoyada en una almohada frente a ella y un cuaderno a un lado. Decidió echarle un vistazo a todo lo que había grabado hasta el momento y anotar algunas ideas sobre lo que debería seguir filmando.

En cuanto comenzó a ver el vídeo, se dio cuenta de que algo andaba mal. Ya desde los primeros minutos aparecieron prolongados segmentos en blanco. ¡Partes de las escenas que había filmado en el campamento se habían borrado! Zoe soltó un gemido...

una mezcla de sollozo y grito a la vez. Volvió al principio de la grabación y pasó el vídeo de nuevo solo para estar segura. La pantalla en negro que apareció a los pocos minutos confirmó su sospecha. Y una vez más se sintió pésimamente mal... como si un agujero gigante se expandiera en su estómago.

La ventana de chat pasó por su mente: ¡Tu suerte se ha acabado, Zoe! No podía creer lo que estaba sucediendo. Tenía la esperanza de que las locuras que le ocurrieron el día anterior fueran solo producto de la casualidad y que hoy todo estuviera bien. Pero parecía que no iba a ser así. De repente, un pequeño rayo de esperanza iluminó su mente. ¡El profesor Meyer tenía una copia de la película en un disco! Zoe se la había dado con las últimas ediciones que había hecho la semana anterior, y desde entonces no había añadido nada nuevo. Se levantó y buscó en el cajón del escritorio su carpeta del campamento. Ahí estaba el número de teléfono de la oficina del profesor Meyer. Tenía que asegurarse de que él todavía tuviera la copia de la película.

Mientras llamaba, Zoe no paraba de caminar en círculos.

—Hola.

—Hola, profesor Meyer, qué alegría escucharlo —dijo Zoe sin aliento—. Le habla Zoe Coulter del campamento de cine.

—Hola, Zoe —respondió el profesor Meyer cordialmente—. ¿Cómo estás?

—Un poco asustada, en realidad —explicó Zoe—. Es que iba a editar mi película, y me di cuenta de que se borraron algunos segmentos.

El profesor Meyer suspiró.

—¡Zoe, eso es terrible!

—El asunto es que yo tenía la esperanza de que usted todavía conservara la copia que le di la semana pasada... y que se viera bien —dijo Zoe—. Que no estuviera dañada.

—Sí, por supuesto, la tengo aquí mismo. Déjame abrirla en mi computadora portátil para asegurarme de que se ve bien.

Zoe contuvo la respiración mientras esperaba la respuesta del profesor.

—Sí, todo se ve bien, Zoe. No tiene ningún problema en absoluto. Voy a hacer una copia y te la dejo con mi asistente. Puedes pasar a buscarla en cualquier momento.

—Muchas gracias —dijo Zoe aliviada.

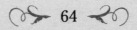

El profesor Meyer se rió.

—Me alegra haberte podido ayudar. Avísame cuando estés lista para hablar de tu nueva edición.

—Está bien, gracias nuevamente. Adiós.

Zoe colgó el teléfono y se acostó en la cama. No quería moverse por miedo a que algo malo le sucediese. Al poco rato se quedó dormida en una siesta intermitente.

Un resplandor en la cara despertó a Zoe. Se sentó y miró el reloj de pared junto a su escritorio. Era la 1:52. Se incorporó y echó un vistazo por la habitación. Debía estar en casa de Mía a las dos. ¿Cómo se había podido quedar dormida si apenas se había despertado a las once? Agarró la mochila del armario, desconectó la computadora portátil del cargador y la guardó en su mochila. Quería llevarla a ver si Mía podía averiguar quién había enviado aquel mensaje espeluznante por el chat y el correo electrónico a Noé. Mía era un genio con las computadoras, y Zoe sabía que si alguien podía encontrar una explicación, esa sería su mejor amiga.

También pensó en llevar la videocámara para mostrarle lo que había sucedido con la película, pero decidió no hacerlo en el último minuto. Llamó al celular de su papá y le dejó un mensaje diciéndole que pasaría la tarde en casa de Mía.

Agarró la mochila, se puso las sandalias y se dirigió al garaje en busca de la bicicleta. Pero recordó que todas las cosas terribles que le habían sucedido habían comenzado justo con la bicicleta. Se quedó mirándola y dudó por un segundo. Sin embargo, la tomó por el manubrio y la llevó rodando hasta la entrada de la casa.

—Pórtate bien, ¿de acuerdo? —le dijo.

Zoe se ajustó el casco y se subió a la bicicleta. Comenzó a pedalear con cuidado. Todo marchaba bien. Siguió manejando por la acera de Alder Street hasta la casa de Mía.

"Tal vez la mente me jugó una mala pasada", pensó. Pero por dentro, sabía que no era cierto. Algo extraño y sobrenatural le había sucedido el día anterior a la bicicleta, y no había forma de negarlo.

Diez minutos más tarde, estacionaba la bicicleta en el garaje impecable de la casa de Mía. Había estado tensa y nerviosa durante el viaje, por miedo a que algo malo le ocurriera, pero no pasó nada. No obstante, era incapaz de calmar el pánico que crecía en su pecho. Tocó el timbre.

—¡Zoooeeee! —gritó Anabel, la hermanita de Mía.

A través de la puerta de tela metálica Zoe podía ver a la niña de tres años saltando y dando vueltas en círculo.

—Hola, Ana B. —saludó Zoe riendo—. ¿Está Mía?

—¿Quieres ver mi nueva muñeca? —preguntó Anabel, apoyando la cara contra la tela metálica.

En eso, apareció Mía por detrás de su hermana.

—Tenemos cosas muy importantes que hacer, Ana, ya nos vamos a mi habitación —dijo Mía abriéndole la puerta a Zoe.

—Chao-chao, Ana B. —dijo Zoe dándole a la niña unas palmaditas en la cabeza.

—Chao-chao, Zoe —respondió Anabel con cara de pena, arrastrando a la muñeca por el suelo.

Mía cerró la puerta de su habitación y se apoyó contra ella para asegurarse de que estuviera bien cerrada.

—¡Uf… a veces es insoportable!

—Linda, pero insoportable —coincidió Zoe quitándose las sandalias y saltando sobre la cama de Mía.

—Zoe —gritó Mía—, mira tu dedo del pie.

—Ya sé —asintió Zoe abriendo la mochila para sacar la computadora portátil—. Parece salido de una película de terror —añadió mientras encendía la computadora—. Pero olvídate del dedo y concéntrate en la computadora, porque necesito averiguar cómo piratearon mi cuenta, Mía. Ya sabes que eres mucho mejor que yo en esto.

Zoe intentaba ignorar lo mal que se sentía; el agujero que crecía en su estómago a cada momento ya era una bola gigante de temor. Pero ahora lo que le interesaba era aclarar el espeluznante asunto del chat y el correo. Quería encontrarle una explicación razonable a al menos una de las cosas horribles que le habían ocurrido en las últimas veinticuatro horas.

Mía se sentó a su lado en la cama.

—Todavía no puedo creer lo que te pasó ayer. ¡Qué horrible!

—Dímelo a mí. Quizás me estoy volviendo loca o algo por el estilo. Solo espero que hayas tenido un día mejor que el mío —contestó Zoe tratando de que su voz sonara normal, pero consciente de su nerviosismo.

—Bueno, yo tuve mi clase de danza moderna esta mañana —dijo Mía a toda velocidad. Le brillaban los ojos y era imposible que pudiera ocultar la emoción—. ¡Mi profesora me propuso unirme a su "grupo élite" de bailarines!

—Pero Mía... eso es genial —dijo Zoe intentando con todas sus fuerzas alegrarse por su amiga, pero estaba tan asustada que las lágrimas brotaron de sus ojos. Por alguna razón, la buena noticia de Mía la hizo sentirse aun peor.

—¿Zoe? —preguntó Mía en voz baja—. ¿Estás bien?

Zoe se secó los ojos rápidamente.

—Sí, perdón. ¡Qué estupenda noticia lo de la danza! —dijo—. Discúlpame que esté tan rara. Me siento como si no fuera yo. Estoy muy nerviosa. Solo quiero saber qué está pasando con mi computadora... ¡y con mi vida!

Mía le puso una mano en el hombro a Zoe.

—No es tu culpa —dijo compadeciéndose—. ¿De veras crees que alguien pirateó tu cuenta?

—Bueno, eso no es todo —explicó Zoe mientras tecleaba su contraseña—. Esta mañana estaba viendo la película en la que estoy trabajando, y varios segmentos se borraron por completo.

Mía se quedó congelada.

—¡Ay, no, Zoe!

Zoe sintió que las lágrimas le corrían por el rostro.

—Pero no he llegado a lo peor todavía. Cuando terminamos de hablar por el chat anoche, apareció otra ventana en mi pantalla. Quienquiera que fuese no tenía ni siquiera nombre de usuario. El mensaje solamente decía: "Tu suerte se ha acabado, Zoe".

—¿Hablas en serio? —preguntó Mía.

—Me dio tanto miedo —dijo Zoe con un hilo de voz—. ¿Crees que podríamos averiguar de dónde vino ese mensaje? Déjame entrar a mi cuenta y te muestro.

—¡No entiendo quién podría hacerte esto! —exclamó Mía.

Ahora ella también parecía asustada.

—¡Ay, no! —interrumpió Zoe cubriéndose los ojos con las manos.

La pantalla estaba congelada en la página del chat. De repente, se oscureció. Unos segundos después apareció en la pantalla una pequeña cara amarilla con cruces en los ojos. Ya Zoe había visto esa carita en las páginas de apoyo técnico, y sabía que no significaba nada bueno.

Se destapó los ojos y se inclinó para mirar la pantalla un poco más de cerca.

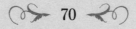

—¿Pero qué...? —dijo asombrada.

Debajo de la cara diabólica había algo más. Un diminuto cartel amarillo que decía: FIN DEL JUEGO, ZOE.

A Zoe se le cortó la respiración. Miró a Mía, pero la chica tenía la cara tan blanca como el papel. Su amiga no estaba mirando la pantalla... la estaba mirando a ella. Zoe siguió la mirada de Mía hasta llegar al collar que colgaba de su cuello. El centro de la piedra brillaba con un rojo incandescente.

Sin darse cuenta, Zoe agarró el dije con la mano. Se sentía confundida. ¿No se había quitado el collar por la mañana? ¿Por qué había decidido ponérselo de nuevo? Trató de pensar, pero no podía recordar qué la había hecho cambiar de parecer.

—Zoe —gritó Mía—. ¿Qué está pasando? ¡Ese collar tiene algo malo! Tienes que quitártelo... ¡AHORA MISMO!

Mía estaba histérica. Saltó de la cama y cayó a unos seis pies de distancia de Zoe.

—Yo n–n–no s–s–sé.... —tartamudeó Zoe.

Entonces, recordó que esa mañana había sentido que algo terrible le iba a suceder si no se ponía el collar de nuevo. Y ahora parecía que algo mucho peor podía sucederle si se lo dejaba puesto. No sabía qué decir.

—¡Quítatelo! —gritó Mía otra vez.

El tono de su voz sorprendió a Zoe, pero se quitó el collar. Lo guardó en el bolsillo, y pensó volvérselo a poner cuando Mía no la estuviera mirando... pero hasta pensarlo le daba miedo. Su amiga tenía razón, había algo terriblemente *malo* en el collar.

—¿Que está pasando, Zoe? —dijo Mía muy seria—. Esto se está poniendo realmente espeluznante. ¡Ese collar NO debía estar brillando así! Es como si... como si estuviera embrujado.

Zoe metió la mano en el bolsillo y tocó el dije. Un escalofrío le recorrió el cuerpo cuando recordó a Serafina.

—No crees que... —dijo, pero se detuvo negando con la cabeza—. Bueno, tuve un presentimiento, pero es una locura.

—¿Qué? —dijo Mía un poco más calmada—. Sabes que puedes decirme cualquier cosa, Zoe.

—Bueno, después de caerme ayer de la bicicleta pensé... ¿qué tal si Serafina tenía razón? —logró decir por fin—. ¿Y si ella tuviera algo que ver con todas las cosas malas que me han estado sucediendo? ¿Recuerdas que me dijo que tomaría una mala decisión y que me traería consecuencias lamentables?

—Pero, ¿cuál fue tu mala decisión? —preguntó Mía alzando la voz bruscamente.

Zoe bajó la vista.

—En primer lugar, nunca debí aceptar que me leyera las cartas. Para colmo, me la pasé haciendo bromas. ¿No viste que se molestó conmigo?

Mía respiró profundo.

—¡Y entonces le hizo algo horrible a ese collar! Yo sabía que estaba actuando raro cuando te lo dio.

Zoe sacó la mano del bolsillo. Se quedó mirando a Mía, paralizada por el miedo, sin saber qué decir ni qué hacer.

—¿Y ayer también brilló así cuando te sucedieron esas cosas terribles? —preguntó Mía.

—No lo sé —respondió Zoe—. Ni siquiera recordaba que lo llevaba puesto hasta que me desperté esta mañana.

—¿En serio? —dijo Mía con incredulidad.

—Sé que es extraño —admitió Zoe—. O sea, tú me conoces, sabes que no me pongo joyas. Pero por alguna razón no he querido quitarme este collar. Es realmente extraño.

Mía miró a Zoe fijamente.

—Tenemos que regresar a la feria y enfrentar a Serafina. ¡Hay que averiguar qué está pasando!

—Tienes razón —dijo Zoe—. Estoy empezando a asustarme.

Mía comenzó a buscar sus zapatos.

—Voy a decirle a mamá que vamos al parque —dijo—. Podemos ir en bicicleta hasta la feria.

—Buena idea —dijo Zoe.

Mía salió en busca de su mamá mientras Zoe se ponía las sandalias. Se encontraron en la puerta de la casa y salieron corriendo hasta las bicicletas. No cruzaron ni una palabra camino a la feria.

"¿Qué va a pasar cuando la enfrentemos? —pensaba Zoe a la misma velocidad que pedaleaba—. ¿Nos ayudará? ¿Y si empeora la situación?"

De repente, pensó en el collar. Detuvo la bicicleta por un segundo para que Mía se adelantara. Entonces, sacó el collar del bolsillo y se lo colgó al cuello. El dije brillaba intensamente y Zoe lo ocultó bajo su camiseta, diciéndose a sí misma que no quería que se le cayera del bolsillo porque tenía que devolvérselo a Serafina. Pero en el fondo sabía que no era eso lo que la había hecho ponerse el collar. Sentía una fuerza muy superior a ella que no podía controlar. Fuera lo que fuera, la hacía sentirse muy mal.

Antes de llegar a la feria, Zoe sabía que algo no iba bien. La noria gigante que debía verse por encima de los árboles había desaparecido. Mientras pedaleaba rumbo a la entrada principal, Zoe sintió que se asfixiaba. El lugar donde antes había estado la feria, ahora estaba lleno desechos, carteles, globos y premios olvidados. Todo lo demás había desaparecido.

Las chicas vieron a un hombre recogiendo basura cerca de la puerta lateral y se le acercaron.

—Disculpe —gritó Zoe desde la cerca, muerta de miedo—. ¿Qué pasó con la feria?

—No lo sé —respondió el hombre, apoyándose en el rastrillo.

—¿No iba a estar abierta hasta mañana? —preguntó Mía nerviosa.

—Sí —dijo el hombre—. Pero se fueron en medio de la noche. Salí de mi caravana y los vi corriendo por todas partes, desarmando atracciones, bajando tiendas. Había una mujer en particular que parecía muy deseosa de marcharse. Les gritaba a los demás para que se apuraran.

Zoe y Mía se miraron preocupadas. Justo en ese momento, una gigantesca nube negra tapó el sol. Un relámpago se dibujó en el horizonte e iluminó el cielo. Luego retumbó un trueno que sacudió el suelo polvoriento. El cielo se veía tan siniestro que no había duda de que estaba a punto de caer un diluvio.

—¡Vámonos de aquí! —gritó Zoe mientras sonaba otro trueno ensordecedor.

Las chicas se subieron a las bicicletas y comenzaron a pedalear. La lluvia caía tan fuerte que Zoe apenas podía ver el asfalto.

CAPÍTULO SEIS

—¡Zoe, por allá! —gritó Mía señalando un centro comercial casi en ruinas.

Las chicas pedalearon hasta el otro lado de la calle y se detuvieron bajo el techo del edificio largo y estrecho que rodeaba una plaza.

—Eso parece una librería ahí abajo —dijo Zoe apuntando con la cabeza hacia el otro extremo de la plaza—. Vamos para allí hasta que deje de llover.

Zoe y Mía ataron las bicicletas a un poste y abrieron la puerta de la tienda Libros Usados y Curiosidades de Benson; una campanilla anunció su entrada. Vieron a un anciano encorvado sobre un mostrador cubierto de polvo, estudiando un atlas gigante. El señor levantó la vista y sonrió.

—Chicas, avísenme si las puedo ayudar en algo —dijo antes de volver a concentrarse en el mapa.

La tienda estaba llena de libros del suelo al techo. La pared detrás del mostrador tenía estantes con globos terráqueos, estatuas y otros objetos de colección que parecían antiguos. Zoe no sabía exactamente si eran antigüedades o chatarra que nadie quería.

—En lo que esperamos, deberíamos buscar un libro sobre adivinación, mala suerte o algo parecido —sugirió Mía dirigiéndose al fondo de la tienda.

Zoe la siguió, forzando la vista para ver bien los estantes altos de la tienda. El cielo tan nublado y la tenue iluminación hacían que el lugar estuviera muy oscuro. Mía sacó un pesado volumen de un estante y empezó a hojearlo de una vez. Zoe alcanzó a ver que el título era *Historia de la magia*. Continuó revisando los estantes y, cuando estaba a punto de sacar un libro, algo le llamó la atención. En el suelo, debajo de un estante, había un pequeño y andrajoso libro encuadernado en piel. Zoe lo recogió y en cuanto terminó de sacudir la cubierta, le dio un codazo a Mía. La portada del libro tenía un símbolo muy parecido al dije de su collar. Se quedó mirándola. ¿Qué significaba? Mía le arrebató el libro de las manos y lo abrió.

—¿Qué idioma es ese? —preguntó Zoe observando por encima del hombro de Mía.

—No estoy segura —murmuró Mía hojeando las páginas—. Se parece bastante al español, pero no lo es.

En la parte superior de cada página estaba el símbolo que aparecía en la portada.

—¿Es igual al dije? —preguntó Mía.

—Humm —dijo Zoe rápidamente. Estaba casi segura de que sí, pero tenía miedo de mirar el collar. No quería que Mía viera que lo llevaba puesto de nuevo.

El señor de la tienda apareció en ese momento.

—¿Necesitan ayuda?

—¿Sabe qué idioma es este? —preguntó Zoe mostrándole el libro.

El anciano se puso los lentes y le echó un vistazo a las páginas.

—Debe de ser italiano —respondió—. Pasé una temporada en Italia hace un tiempo. Bueno, hace mucho tiempo. ¿Me permites? —tomó el libro y lo estudió cuidadosamente—. ¿Es tuyo? —preguntó.

—No... —respondió Zoe—. Lo encontré en el suelo. Estaba justo ahí —dijo señalando el lugar donde lo había encontrado.

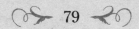

—Nunca lo había visto —dijo el anciano pensativo, rascándose la barba blanca—. Definitivamente no está en mi catálogo. ¿Estás segura de que lo encontraste aquí?

—Sí, estoy segura —dijo Zoe asintiendo tan fuerte con la cabeza que sintió un mareo.

—Eh... probablemente deberíamos irnos —murmuró Mía poniéndose pálida.

—Sí, tenemos que irnos —le dijo Zoe al dueño de la tienda.

—Puedes quedarte con el libro si quieres —dijo el señor—; como te contaba, nunca antes lo había visto.

—¡No! —gritó Mía—. Quiero decir, no, gracias. Es que nosotras no hablamos italiano.

El señor las miró extrañado, pero las chicas se escurrieron sin dar más explicaciones. Salieron corriendo de la tienda como si alguien las estuviera persiguiendo y no pararon hasta llegar al final del centro comercial. La lluvia seguía cayendo intensamente, y ninguna pronunció una palabra por un largo rato. Entonces, Mía señaló a lo alto de un árbol que estaba en una esquina del estacionamiento. En una rama estaba posado un enorme pájaro color azabache. Un cuervo.

—¿Crees que sea el mismo pájaro? —le preguntó Zoe a Mía sin quitarle los ojos de encima al ave. Entonces, sin darse cuenta, se sacó el collar que ocultaba debajo de la camiseta y acarició el dije—. Se parece bastante. Creo que nos está mirando de nuevo —añadió.

—¡Zoe! —gritó Mía asustada—. ¿Qué haces? ¿Por qué te pusiste esa cosa otra vez?

—No... no lo sé.... Es que... —tartamudeó Zoe intentando encontrar una respuesta—. No sé por qué me lo puse de nuevo. Es como si una fuerza extraña se apoderara de mí y me *hiciera* ponérmelo.

—¡Tienes que deshacerte de él! —dijo Mía a punto de llorar—. ¡Piensa en todos los problemas que te ha causado ya!

—No sabemos a ciencia cierta que el causante sea el collar —respondió Zoe, pero en el fondo, sabía que sí lo era.

"Por supuesto que es el collar —pensó—. ¡Todos los problemas comenzaron en el mismo instante en que me lo puse!"

—Zoe, está *brillando* —dijo Mía mirando el dije.

—Lo sé —admitió Zoe asustada—. Pero sospecho que si me lo quito, algo terrible podría sucederme.

—¿De verdad crees eso? —preguntó Mía.

—No lo sé —dijo Zoe dejando escapar un suspiro—. Es que no sé cómo explicarlo, pero a pesar de que sé que el collar es malo, no me lo quiero quitar.

Zoe vio el miedo en la mirada de su amiga. Pero de pronto, algo cambió. Los ojos de Mía se oscurecieron y su voz sonó decidida.

—Vamos a llegar a la raíz de esto —dijo—. Tenemos que hacerlo, cueste lo que cueste. Es imposible que ese horrible collar te siga haciendo daño. Mañana vamos a ir a la biblioteca para hacer una investigación sobre las maldiciones.

—¿Mañana? —preguntó Zoe, y sintió que las lágrimas le volvían a brotar. Miró su teléfono. Eran más de las cinco—. ¿Crees que todavía esté abierta? ¡No sé si puedo esperar hasta mañana!

—Estoy casi segura de que está cerrada —respondió Mía—. Pero te prometo que estaremos allí a primera hora de la mañana, tan pronto como abra. ¡Tenemos que solucionar este problema!

—Gracias, Mía —dijo Zoe un poco más tranquila ahora que su amiga había prometido ayudarla.

—Vamos —dijo Mía—. Parece que ya va a escampar.

Zoe miró hacia el estacionamiento. La lluvia era mucho más ligera y el cielo comenzaba a aclarar. Hasta le pareció ver al sol tratando de asomarse detrás de unas nubes grises. Se subió a su bicicleta y se sintió más ligera también. Estaba un poco sorprendida por la forma decidida en que Mía había reaccionado frente a su problema. Por lo general, ella era la valiente y Mía era la tímida.

"Qué suerte tengo de tener a Mía —pensó mientras pedaleaban de regreso—. No podría lidiar con todo esto yo sola".

—Mía, ¿eres tú? —gritó la mamá de Mía en cuanto sintió cerrarse la puerta.

—Sí, mamá, ¿qué pasa? —respondió Mía.

La Sra. Wang asomó la cabeza fuera de su dormitorio. Estaba en bata de baño y tenía el cabello mojado.

—¡Qué bueno que llegaste! —dijo aliviada—. La niñera de Anabel acaba de llamar para decir que no puede venir. ¿Puedes cuidar a tu hermana? Tu papá y yo no podemos faltar a la fiesta porque es de una de mis mejores clientas.

Mía miró a Zoe. Su mamá no le permitía tener amigos en casa cuando estaba cuidando a Anabel.

—Claro, mamá —respondió Mía—. Zoe y yo tenemos planes de ir a la biblioteca mañana para hacer una investigación para su película, pero estoy libre esta noche.

—Sí, y yo debo llegar a casa antes de la cena —dijo Zoe—. Voy a tu habitación a buscar mi mochila, Mía.

—¡Gracias, chicas! —dijo la Sra. Wang, y regresó a su dormitorio.

—Tal vez deberías llamar a Noé esta noche para tratar de explicarle lo que pasó con el mensaje —sugirió Mía mientras subían las escaleras.

—No lo sé —dijo Zoe empacando su computadora—. Tal vez le responda su correo.

—¿Pero no te acuerdas de que tu computadora está congelada? —preguntó Mía.

Zoe rió cansada. Lo había olvidado por completo.

—Ay, verdad. Puedo usar la computadora de mi papá... o la de Conner.

—Creo que deberías llamarlo. Si ve otro correo tuyo lo borrará sin abrirlo —dijo Mía con suavidad.

—Sí, quizás tengas razón —suspiró Zoe—. Cuando llegue a casa le escribiré un mensaje de texto a Tina, tal vez ella pueda pedirle a Andrés el número de Noé.

—Verás que todo se resolverá, Zoe. Noé es tan agradable, es difícil imaginarlo enojado por mucho tiempo —dijo Mía mientras caminaban hacia la puerta principal de la casa—. Te llamaré mañana a primera hora y nos pondremos de acuerdo para reunirnos en la biblioteca —añadió—. ¡Buena suerte con Noé!

Zoe se estremeció al oír las últimas palabras de su amiga.

—Está bien, adiós —respondió caminando hacia la bicicleta.

Zoe regresó a casa lo más rápido que pudo. Necesitaba volver a la seguridad de su habitación sin que ocurriera algo catastrófico.

Al llegar, encontró a Conner estacionado frente a la televisión. Estaba comiendo un plato gigante de papitas fritas con queso derretido y viendo un programa de ninjas. Para preparar los "nachos gourmet de Conner", como él los llamaba, había que llenar un plato de Doritos (generalmente con sabor a salsa ranchera), añadir queso líquido y queso *cheddar* rallado, y calentarlo en el microondas durante cuarenta y cinco segundos. Era lo que más le gustaba a Conner en el mundo. A Zoe le parecía una asquerosidad.

—¿Disfrutando de tu cena? —preguntó, soltando la mochila en el suelo.

—*Ji* —respondió su hermano con la boca llena de nachos.

—¿No ha llegado papá?

—No, *etá traajando.*

Zoe era bastante buena para descifrar a Conner cuando hablaba con la boca llena... porque lo hacía todo el tiempo, así que sabía que le había dicho que su papá todavía estaba en el trabajo.

Se fue a su habitación y se tiró en la cama. Sacó el celular y le envió un mensaje a Tina. No esperaba que le contestara de inmediato, pero la respuesta de su amiga fue casi instantánea.

Ahora que ya no tenía más excusas, no le parecía tan buena idea llamar a Noé. ¿Cómo podía explicarle que ella no había escrito aquel horrible correo? ¿Qué podía decirle que no sonara totalmente descabellado? Estaba empezando a pensar que quizás estuviera *loca*. Había tenido pensamientos y sensaciones tan extrañas en el último par de días que ya ni sabía qué era verdad y qué no. ¿Qué tal si el correo de Noé ni siquiera hubiera sido real? ¿Y si ella lo llamaba y él no tenía idea de qué estaba hablando? ¡Entonces creería que ella era rara!

Por fin, respiró profundo y tecleó el número de Noé. Todavía no sabía exactamente qué le iba a decir, pero prefirió no esperar más. Así que decidió llamarlo y aclararlo todo de una vez.

—¡Esta es la última vez que voy a contestar el teléfono! —gritó Noé.

—¿Humm… Noé? Es Zoe.

—Ah, por lo menos esta vez te decidiste a hablar —respondió Noé bruscamente.

—¿Qué quieres decir? —preguntó Zoe confundida—. Tina me acaba de dar tu número. Espero que no te moleste —agregó rápidamente.

—Yo sé que tienes mi número, Zoe —dijo Noé bruscamente—. ¿Qué quieres?

Nunca había oído hablar a Noé de esta manera. Sonaba tan enojado que le daba miedo.

—Bueno, solo quería decirte que siento mucho lo del correo —explicó Zoe. Sus manos le sudaban y estaba haciendo lo imposible para que la voz no le temblara—. De verdad, lo siento mucho. Todavía no sé qué fue lo que sucedió, pero no fui yo. Yo no lo envié.

Noé se rió con amargura.

—Sí, claro.

Zoe sintió el escozor de las lágrimas en los ojos. No podía creer lo cruel que se portaba Noé.

—Te lo juro, Noé —dijo—. Yo nunca diría esas cosas...

—Mira, Zoe, deja de llamarme todo el tiempo —Noé la interrumpió—. ¡Me estás volviendo loco!

—¿Todo el tiempo? —dijo Zoe sorprendida.

—No puedes seguir llamándome y colgando. Yo sé que eres tú. Me diste tu número en la feria, ¿recuerdas?

—Pero esta es la primera vez que te llamo —balbuceó Zoe—. ¡Tina acaba de darme tu número hace media hora!

—¡Zoe, deja de mentir! —gritó Noé—. Me has llamado, digamos, un millón de veces desde la noche de la feria. Me estás volviendo loco.

—Pero... ¡eso no es cierto! —dijo Zoe, y sintió un sollozo creciendo en su garganta.

—Ya me aclaraste que no querías salir conmigo, así que déjame en paz.

La llamada se cortó. Las lágrimas corrían por el rostro de Zoe.

"¡Esto es una pesadilla! —pensó—. ¡Es imposible que lo haya llamado antes!"

Con las manos temblorosas revisó la lista de números marcados en su celular. El número de Noé aparecía una y otra vez. Algunas llamadas habían sido muy recientes. Zoe sintió como si tuviera fiebre y escalofríos al mismo tiempo. Lanzó el teléfono sobre un montón de ropa que había en un rincón de su habitación. Enterró la cabeza en el brazo del oso de peluche que Noé le había regalado y lloró. Podía sentir el dije del collar presionándole el pecho. Se lo quitó del cuello y lo arrojó al otro lado de la habitación. Lo oyó caer al suelo haciendo un ruido sordo. Se acurrucó bajo el edredón y cerró los ojos.

"Esto tiene que ser un sueño —pensó—. No puede ser de otra manera".

CAPÍTULO SIETE

Zoe se despertó con el timbre de su celular.

"Fue un sueño terrible", pensó.

Se levantó de un brinco. Era por la mañana. Se había quedado dormida sin cenar. No podía creer que estuviera tan agotada. Buscó por toda la habitación tratando de localizar el teléfono. Por lo general lo dejaba en su mesa de noche, al lado de la cama, pero no estaba allí. El corazón se le desbocó cuando vio lo que estaba en su lugar: el collar... que había arrojado al suelo la noche anterior.

Sintió que la pesadilla se le echaba encima como la lluvia del día anterior. Miró su rodilla rasguñada, la uña del pie ennegrecida y recordó los "accidentes". Volvió a oír el timbre del celular y pensó en Noé y las llamadas telefónicas. Por fin, revolvió un montón de ropa sucia y sacó el celular. El nombre de Mía apareció en la pantalla y luego desapareció. Zoe revisó la lista de números marcados y tenía dos nuevas llamadas al número de Noé que se habían hecho durante la noche. El estómago le dio un vuelco.

Rápidamente le envió un mensaje de texto a Mía para que fueran a desayunar juntas al Tropical Sunrise, el lugar donde hacían su batido favorito. Agarró la bolsa de lona que estaba junto al montón de ropa, recogió el teléfono, la billetera, la tarjeta de la biblioteca y (luego de dudar durante unos segundos) el collar. Se puso las sandalias y bajó las escaleras de dos en dos. Le gritó a Conner que iba a reunirse con Mía en la biblioteca y corrió hasta la bicicleta.

Cuando Zoe llegó a Tropical Sunrise ya Mía la estaba esperando.

—Te ves un poco desaliñada —comentó Mía—. ¿Esa no es la misma camiseta que llevabas ayer?

Zoe miró la camiseta y suspiró.

—Anoche caí rendida y esta mañana me desperté tan confundida que olvidé cambiarme. Uf.

Se soltó la trenza que llevaba, se alisó el cabello con los dedos y lo recogió en una cola de caballo. Decidió esperar a que estuvieran listos los batidos para contarle a su amiga sobre la llamada telefónica que le había hecho a Noé. Mía pidió su habitual batido de arándanos y Zoe el de melocotón. Se sentaron en una mesa al aire libre y abrieron la sombrilla que estaba en la mesa para protegerse del sol de la mañana.

—¿Estás lista para escuchar el último capítulo de *Mi maldita vida*? —preguntó Zoe con tristeza.

—Ay, no, Zoe —suspiró Mía—. ¡Imposible que te haya pasado algo más!

—Pues sí —afirmó Zoe—. Y esto ha sido lo peor de todo.

Zoe no sabía si echarse a reír o empezar a llorar otra vez. Entonces le contó sobre la llamada telefónica a Noé.

—Pero todavía no lo entiendo —dijo Mía cuando Zoe llegó al final del horripilante episodio.

Zoe respiró profundo y metió la mano en el bolso.

—Después de que él me gritó y colgó, revisé mi lista de números marcados —dijo entregándole el teléfono a su amiga.

Mía no lo podía creer.

—¡Zoe! —dijo.

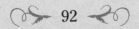

—Es increíble, Mía —dijo Zoe con la cabeza entre las manos—. ¿Cómo pudo suceder esto?

Mía se levantó y arrojó su vaso vacío en la basura.

—Tenemos que ir a la biblioteca —dijo con determinación—. Esto tiene que ver con Serafina. Tenemos que averiguar lo que está sucediendo y cómo podemos solucionarlo.

Zoe no paraba de asentir.

Las chicas pedalearon hacia la biblioteca lo más rápido posible. Dejaron las bicicletas en el estacionamiento y se apresuraron a llegar al centro de computación para buscar libros sobre adivinación, mala suerte, magia; todo lo que se les pudiera ocurrir. Encontraron ocho libros enormes y se sentaron en una mesa para echarles una mirada.

Después de un par de horas, Zoe se puso a hojear un libro sobre maldiciones y talismanes. Ya había revisado unos cuantos capítulos cuando sus ojos se quedaron fijos en un encabezamiento: "La maldición del ojo de la serpiente". Leyó rápidamente.

—¡Mía, creo que he encontrado algo! Mira esto —susurró acercándole el libro y señalando la página—. ¿Recuerdas que Serafina dijo que me estaba "otorgando el poder del ojo de la serpiente"?

Zoe leyó la página en voz alta:

"El ojo de la serpiente es una de las maldiciones más poderosas de la historia. Se sabe que causa graves daños y lesiones, y se puede almacenar en un talismán durante siglos. Esta fuerte maldición tiene la capacidad de elegir a sus propias víctimas".

—¡Ay, Dios! —exclamó Mía tapándose la boca al darse cuenta de que había gritado.

El bibliotecario la miró.

Zoe continuó leyendo:

"El ojo de la serpiente se va fortaleciendo a medida que la persona maldecida experimenta sucesos trágicos. El ojo de la serpiente también tiende a crear una fuerte influencia sobre la desafortunada alma a la que ha sido concedido".

Se desplomó sobre la silla. ¡Las cosas se pondrían aun peor! Y eso explicaba por qué no había querido quitarse el collar. Todo era parte de la maldición.

Mía se acercó el libro para leer la sección siguiente.

"El ojo de la serpiente puede permanecer latente en una persona que tenga la capacidad de pasar la

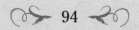

maldición, en particular en alguien con mucha ener-
gía telepática o psíquica".

—Serafina —susurró Zoe.

Mía continuó leyendo en voz alta:

"Pero incluso estos individuos cósmicamente conec-
tados no son inmunes a su poder. Sin previo aviso, el
ojo de la serpiente puede controlar incluso a esos
fuertes sujetos en un estado de trance, permitiendo
que su poder sea impuesto en nuevas víctimas".

Zoe se quedó sin aliento.

—Eso explica el comportamiento de Serafina.
¡Sus ojos se pusieron vidriosos y extraños cuando
terminó de leer mi suerte!

—¡Mira, Zoe! —dijo Mía entusiasmada señalando
la página siguiente.

"Solo hay un conjuro que puede romper la maldi-
ción del ojo de la serpiente. Es el conjuro más potente
de su clase: la Zifiri Incantata".

Zoe se animó.

—Está bien, ¿pero eso qué es?

—¿Qué?

—La Zif… Inca lo que sea —dijo Zoe con entu-
siasmo—. ¿Qué es lo que hay que hacer?

—No dice —dijo Mía pasando las páginas del
libro y examinándolas—. Después de eso comienzan

a describir una nueva maldición. No explican cómo realizar el conjuro.

Zoe dejó caer la cabeza en la mesa.

—Anda, vamos a buscar en otro estante, tal vez se nos quedó algún libro sin revisar —sugirió Mía, alzando la voz emocionada.

Esta vez el bibliotecario las mandó a callar.

Mía arrastró a Zoe hasta los estantes y comenzó a buscar un libro de conjuros. Zoe se apoyó contra la estantería negando con la cabeza.

—Es inútil —se quejó—. Estoy condenada. Noé nunca más me va a hablar. ¡Estoy maldita! ¡Para toda la vida!

Mía se bajó del banquito donde se había subido para examinar los estantes superiores y le puso una mano sobre el hombro a su amiga.

—¡No estás condenada! Ya sabemos cuál es la maldición —la alentó—. ¡Solo nos queda encontrar el conjuro para romperla!

—Esta es la última advertencia, joven —dijo el bibliotecario con voz firme.

—Está bien, disculpe —gritó Mía—. Es decir, disculpe —repitió bajando la voz.

Las chicas pasaron otra media hora buscando el conjuro de la *Zifiri Incantata*, pero todo fue en vano.

Luego esperaron a que se desocupara una computadora para hacer una búsqueda en internet. Pasaron una hora en Google. Encontraron varias menciones del conjuro y otros datos sobre la maldición del ojo de la serpiente, pero ninguna detallaba cómo se rompía. Leyeron en un sitio que alguien había escrito: "Buena suerte en la búsqueda del conjuro. Llevo años buscándolo".

Cuando salieron de la biblioteca, Zoe llamó a su papá por teléfono.

—Hola, Zozi. ¿Cómo está mi niña? —dijo su papá.

—Papáaa.

—¿Qué, ya no te puedo decir "mi niña"? —respondió el papá de Zoe riendo—. En serio, ¿te sientes bien? Traté de despertarte anoche para cenar, pero estabas tan rendida que te dejé dormir.

—Sí, estoy bien, supongo —dijo Zoe recordando todo lo que le había sucedido—. Es que estaba muy cansada. Estoy con Mía en la biblioteca y vamos un rato a su casa.

—Perfecto, no hay problema —respondió su papá.

—Quería pedirte permiso para quedarme a dormir en casa de Mía esta noche.

—Bueno, probablemente hoy salga tarde del trabajo —dijo su papá—. Tal vez sea buena idea que te quedes con Mía, siempre y cuando sus papás estén de acuerdo.

—Sí, ellos ya le dieron permiso —contestó Zoe—. Gracias, papá.

—Que te diviertas, mi niña, y llama si necesitas algo.

—Está bien, adiós.

Las chicas buscaron las bicicletas y se dirigieron a la casa de Zoe para recoger sus cosas. Luego siguieron hasta la casa de Mía.

Después de pasar un rato obligatorio jugando con Anabel, el papá de Mía cocinó unas hamburguesas en la parrilla para la cena. Cuando terminaron de comer, por fin pudieron retirarse solas a la habitación de Mía.

—¿Qué vamos a hacer? —preguntó Zoe. Desde que salieron de la biblioteca no habían vuelto a hablar sobre el collar ni la maldición del ojo de la serpiente—. ¿Y si no encontramos el conjuro?

—¿Dónde está el collar? —preguntó Mía.

Zoe bajó la vista.

—Humm, bueno... —dijo.

Pero en lugar de excusarse, decidió sacar el collar de la bolsa.

—Zoe —dijo Mía con la respiración entrecortada y la voz apagada—. ¿Por qué todavía andas con esa cosa encima? ¡Tienes que deshacerte de él!

—Tú viste lo que decía el libro —argumentó Zoe—, el ojo de la serpiente tiene una fuerte influencia sobre la persona maldita. No hay otra manera de explicarlo. ¡Debe de ser por eso que no quería quitármelo! No puedo deshacerme de él.

—No había pensado en eso —suspiró Mía.

—Pero eso me hace sentirme aliviada, de verdad —dijo Zoe en voz baja—. Antes no podía entender mi obsesión por este tonto collar.

—Todo es tan extraño —dijo Mía estremecida.

Zoe negó con la cabeza.

—No puedo creer lo que esa mujer me hizo. El collar la hizo caer en trance para que pudiera darle la maldición a otra persona. ¿Pero por qué a mí? Todavía puedo oír su voz de robot en mi cabeza. "Buena suerte" —imitó Zoe.

—Bueno, te pasaste todo el tiempo haciendo bromas mientras leía las cartas —recordó Mía.

Zoe suspiró.

—Lo sé. Es que todo me parecía tan falso. ¡Pensé que era un acto más de la feria!

—Tal vez Serafina se molestó por eso —especuló Mía—. Tal vez el ojo de la serpiente quería darte una lección.

—Pues ya he aprendido muy bien la lección —dijo Zoe alzando la voz llena de pánico—. ¡Nunca te burles de algo que no entiendas!

—Bueno, pero ahora tenemos que hacer algo al respecto —ordenó Mía—. ¡No podemos seguir dejando que esta cosa controle nuestras vidas! —dijo golpeando un puño contra la alfombra—. Vamos a romper la piedra o algo por el estilo.

Zoe apretó el collar en la mano. La piedra brillaba amenazante. Hubiera jurado que hasta podía sentir su calor en la mano.

—No creo que lo debamos destruir —dijo en voz baja.

—¿Qué tal si lo enterramos? —sugirió Mía.

—¿Enterrarlo? —preguntó Zoe—. ¿Dónde?

—En el patio —dijo Mía encogiendo los hombros—. Podemos guardarlo en una caja y enterrarlo. Tal vez eso ponga fin a la maldición. Solo tenemos que alejarlo de ti.

—No lo sé —comenzó a decir Zoe—, todavía no tenemos mucha información sobre este asunto.

—Zoe, no puedes dejar que un collar te controle —dijo Mía poniéndose de pie. Se metió en el clóset y empezó a registrar—. ¡Tenemos que hacer algo! Aquí está la caja.

Mía salió del clóset sosteniendo una caja de zapatillas de ballet y la puso frente a Zoe, esperando a que ella colocara el collar. Zoe se miró la mano. Había olvidado que todavía sostenía el ardiente dije rojo. Se sorprendió al darse cuenta de que había estado frotando mecánicamente la piedra entre sus dedos.

—¡Zoe! —dijo Mía chasqueando los dedos en la cara de Zoe para hacerla reaccionar—. El collar.

Zoe suspiró y lentamente puso el collar en la caja de las zapatillas. Agarró un pedazo de papel celofán que había en el fondo de la caja y lo envolvió.

—¡Pero bueno! No estamos acostando a dormir a tu Barbie favorita —comentó Mía irónicamente.

—Es verdad. Gracias, Mía —dijo Zoe—. Es que... ay, no sé. Vamos a terminar con esto de una vez.

Las chicas salieron al garaje y agarraron un par de palas de jardinería y una linterna.

—¿Qué hacen? —preguntó la mamá de Mía asomando la cabeza en el garaje.

—Nada, mamá —respondió Mía rápidamente—. Estamos ensayando una escena para la próxima película de Zoe. Vamos a estar un rato en el patio.

—¿En el patio? Pero si ya está oscuro. Bueno, ustedes saben lo que hacen —dijo la Sra. Wang, y volvió a la cocina.

—¿Crees que deberíamos contarle a tu mamá lo que ha pasado? —preguntó Zoe. Tal vez la mamá de Mía sabría qué hacer.

—De ninguna manera —contestó su amiga al instante—. Ya sabes cómo es mi mamá de distraída. ¿Te imaginas tratando de explicarle *esta* historia?

Zoe se torcía la cola de caballo con nerviosismo.

—Supongo que tienes razón —dijo.

—Vamos a hacer esta prueba primero —sugirió Mía.

—Está bien —coincidió Zoe recogiendo las herramientas y siguiendo a Mía hasta el patio.

Mía se arrodilló en la hierba mientras Zoe sostenía la linterna y la caja de zapatos.

—Este lugar debe de ser bueno —dijo Mía enterrando la pala en la tierra.

Zoe escuchó un ruido y levantó la vista.

—¿Oíste eso? —preguntó con la voz temblorosa.

—¿Qué? —respondió Mía distraída con la excavación.

Zoe iluminó un árbol cercano con la linterna.

—¡Oye! —protestó Mía—. Alumbra aquí.

Zoe oyó otro crujido y recorrió el árbol con la luz de la linterna. ¡Y ahí estaba el cuervo!

—Mía, creo que deberías darte prisa —susurró Zoe muerta de miedo.

—Bueno, sin luz no puedo apurarme —dijo Mía—. ¿Pero por qué tanta prisa?

De repente, el cuervo salió volando hacia Zoe. ¡Se dirigía directamente a la caja que sostenía en su mano! Zoe gritó y se agachó junto a Mía, protegiendo la caja contra su cuerpo. El cuervo soltó un graznido y regresó a posarse en una rama del árbol.

—¿Ese fue... fue... el cuervo? —preguntó Mía temblando.

—¡Sí! —exclamó Zoe—. ¡Apúrate!

Zoe se arrodilló en la hierba, agarró la otra pala y también comenzó a cavar. Las chicas cavaban a toda velocidad. Finalmente, Mía le arrebató la caja de las manos a Zoe y la arrojó en el hoyo. Zoe comenzó a echar montones de tierra por encima de la caja mientras Mía la aplanaba con el dorso de la pala. Al terminar, se pusieron de pie y apisonaron la tierra al tiempo que oían el graznido del cuervo.

—¡Corre! —gritó Mía.

Las chicas salieron corriendo en dirección al garaje. El cuervo voló tras ellas. Zoe cerró la puerta y pasó el cerrojo.

La mamá de Mía se asomó.

—¿Todo bien? —preguntó—. Escuché gritos.

—Era parte de la escena que estábamos ensayando, mamá —mintió Mía, tratando de recuperar el aliento.

—Bueno, creo que por hoy es suficiente. Además, acabo de servirles helado.

—Sí, por esta noche hemos terminado —aseguró Zoe—. Gracias, Sra. Wang.

—Gracias, mamá.

Las chicas entraron en la cocina. Mía cerró la cortina de la ventana que daba al patio mientras Zoe se lavaba las manos. Luego se sentaron a la mesa frente a dos copas rebosantes de helado. Ambas soltaron un suspiro.

—Me siento mejor —dijo Mía probando el helado.

—Yo también —mintió Zoe, que no quería decirle a su amiga que aún sentía que algo malo podría ocurrirle en cualquier momento.

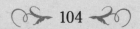

—Creo que ahora todo va a estar bien —dijo Mía con seguridad.

Cuando terminaron el helado, subieron a la habitación de Mía. Zoe abrió su bolsa para sacar el cepillo de dientes y vio que tenía un mensaje de texto en el celular. Pensó que tal vez era de su papá. Abrió el teléfono y se quedó mirando el número en la pantalla. No era un número de teléfono común y corriente. Era más bien una hilera de números consecutivos... al menos veinte números al azar. Presionó una tecla para abrir el mensaje y sintió como si le hubieran dado un puñetazo en el estómago. Le mostró el teléfono con la mano temblorosa a Mía, que leyó el mensaje: NO DEBISTE HABERLO HECHO.

CAPÍTULO OCHO

Zoe se despertó a las seis de la mañana. Había pasado la noche dando vueltas en la cama. Estaba asustada, más bien aterrorizada, y no podía dejar de pensar en el mensaje de texto que había recibido.

"¿Qué más podría pasar?", se preguntaba una y otra vez. Pero en realidad no quería saber la respuesta.

Estaba acostada bocabajo sobre un colchón inflable, junto a la cama de Mía, y tenía un cuaderno de notas frente a ella. Trató de escribir algunas notas para la edición de su película mientras su amiga se despertaba.

Comenzó a garabatear el cuaderno, intentando concentrarse en una idea específica, pero a los pocos minutos se dio cuenta de que no podía pensar en nada... y mucho menos en la película. Negó con la cabeza, miró el papel que tenía delante y tragó en seco.

Inconscientemente, había dibujado el símbolo del ojo de la serpiente una y otra vez. Sintió un salto en el estómago y dejó caer la pluma. Se quedó mirando las líneas que conformaban el dibujo. De repente, algo la estremeció. Era el mismo símbolo del libro... de aquel pequeño y polvoriento libro que habían encontrado en la librería. El hombre había dicho que estaba en italiano. ¡La Gran Serafina era italiana! Se lo había dicho a Mía. ¡Tal vez el libro les daría más información sobre la maldición! ¡Hasta podría contener el conjuro para romper el hechizo!

Zoe se sentó y miró a su amiga con la esperanza de que se despertara, pero no fue así. Tampoco la quería molestar, sabía que estaba tan agotada como ella, pero al mismo tiempo no se podía tranquilizar. Entonces se dio cuenta de que ya había mucha claridad.

"Tal vez sea más tarde de lo que creo —pensó—. ¿Cuánto tiempo habré pasado dibujando esta tontería?"

Se levantó y corrió las cortinas de la habitación, y el cuarto se llenó de la luz del sol. Definitivamente era más tarde de lo que creía.

—¿Qué hora es? —preguntó Mía abriendo los ojos.

—Eso mismo me estaba preguntando —dijo Zoe.

Mía miró el despertador aún dormida.

—¡Ya son las diez! —dijo.

Zoe no lo podía creer. ¡Había pasado horas dibujando!

—Se me ocurrió una idea —dijo Zoe mientras se sentaba en la cama de Mía—. ¿Recuerdas aquel libro que vimos en la librería?

—Sí —dijo Mía medio dormida.

—Tenía el símbolo del ojo de la serpiente en la portada y estaba en italiano.

Mía miró a Zoe sin comprender.

—¡Serafina es italiana! —añadió Zoe—. ¿Te acuerdas?

—Oh, sí —dijo Mía.

—Tenemos que volver a esa librería y ver si ese señor nos lo puede traducir. ¡Tal vez eso nos ayude en algo! —dijo Zoe.

—¡Qué buena idea! —dijo Mía espabilándose.

En ese momento, la mamá de Mía las llamó a desayunar. Las chicas se vistieron y salieron rumbo a la cocina.

—No olvides que tienes ballet esta tarde, Mía —dijo la Sra. Wang revisando el calendario que estaba pegado al refrigerador—. Tengo que llevar a Anabel a clases de natación, pero después vengo a buscarte.

—No creo que pueda ir hoy, mamá —dijo Mía.

—¿Qué? —preguntó su mamá—. Pero tú jamás faltas al ballet.

—Es que Zoe y yo... Humm... —tartamudeó Mía—. Es que todavía estamos trabajando en la escena para la película de Zoe, y tenemos que grabarla hoy.

Zoe le sonrió a su amiga. Sabía lo mucho que Mía amaba el ballet. Era un gran gesto que faltara a su clase para ayudarla.

—¿Y la Sra. Durand no se molestará? —preguntó la Sra. Wang.

—No he faltado ni a una sola clase durante todo el verano —respondió Mía—. La llamaré y le explicaré.

—Está bien —dijo la Sra. Wang—, pero solo por esta vez.

Zoe llamó a su papá mientras Mía llamaba a su profesora de ballet. Luego, las chicas salieron hacia la librería montadas en sus bicicletas. Zoe se sentía agotada y casi no podía pedalear. Hacía calor y no corría ninguna brisa. Se despegaba de la piel sudada su camiseta azul marino mientras en su mente daba vueltas al collar por centésima vez. Sintió la ausencia de su calor contra el pecho y de su peso en el cuello. No podía creer que se sintiera así, pero eso significaba que la maldición todavía tenía una poderosa influencia sobre ella.

La campana de la puerta de la librería anunció la entrada de las chicas. Zoe respiró aliviada al ver al señor sentado detrás del mostrador, junto a un viejo ventilador que intentaba refrescar el ambiente.

—Hola, chicas —dijo el señor inclinando la cabeza—. ¿Qué las trae por aquí esta mañana tan calurosa?

—Bueno —empezó a decir Zoe—, pensábamos que todavía podría tener ese libro.

—¿De qué libro me hablas?

—El que está en italiano que usted dijo que no era suyo —respondió Zoe esperanzada.

—Ah, sí —respondió el señor—. Aquel extraño libro encuadernado en piel.

—¡Ese mismo! —soltó Mía entusiasmada—. ¿Lo tiene?

—Pues no lo sé. Realmente no recuerdo haberlo visto de nuevo —dijo el señor—. Pero tienen permiso para echar un vistazo por la librería.

El pánico se apoderó de Zoe. ¿Y si el libro no aparecía? ¡Esa era su única esperanza!

Mía caminó hacia el fondo de la tienda y Zoe la siguió. Buscaron por toda la sección tres veces cada una.

Zoe se reclinó contra la estantería polvorienta y apoyó la cabeza sobre una fila de libros.

—Es inútil —dijo desanimada.

—¡No digas eso! —respondió Mía—. Vamos a volver a buscar.

Esta vez, Zoe se arrodilló para buscar debajo de las estanterías, pero no vio nada excepto montañas de polvo.

—¿Es este el que están buscando? —preguntó el señor acercándose a ellas con un libro en la mano.

—¡Sí! —respondió Zoe saltando de la emoción—. ¿Dónde lo encontró?

—Por extraño que parezca, estaba detrás del mostrador, como si alguien lo hubiera reservado —dijo—. Pero yo no lo puse allí. De eso estoy seguro.

Zoe tomó el libro y al instante sintió un dolor en el pecho, justo en el sitio donde antes quedaba el dije del collar. Jadeó tratando de recuperar el aliento y rápidamente le devolvió el libro al dueño de la tienda. En cuanto lo soltó, la sensación de ardor se detuvo.

Mía la miró extrañada.

—¿Usted cree que nos lo pueda traducir? —le preguntó Zoe al señor de la librería—. Esto probablemente le parezca tonto, pero estamos buscando el conjuro para romper una maldición.

—Supongo que sí —respondió el señor sonriendo y encaminándose hacia el mostrador—. Déjame buscar mis lentes.

Las chicas se morían de impaciencia mientras que el buen hombre se ponía los lentes y acercaba el libro a una lámpara.

—Vamos a ver aquí —dijo abriendo la primera página—. Dice: "En estas páginas encontrarás las antiguas y sabias palabras de la Zifiri."

—¡Eso es! —dijo Zoe.

El señor se echó a reír.

—¿Es esto tan importante para ti?

—Sí, señor —respondió Mía—. Necesitamos el conjuro Zifiri para romper la maldición del ojo de la serpiente, y creemos que está en ese libro.

El señor miró fijamente a Mía y Zoe.

—Bueno, entonces vamos a echar un vistazo.

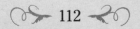

Ah, y pueden llamarme Mack... no me digan más "señor" —dijo.

—Está bien, Mack —dijo Zoe sonriendo de verdad por primera vez en días.

Se sentía aliviada de que este hombre estuviera dispuesto a ayudarlas y de que no pensara que eran un par de niñas tontas. ¡Al fin empezaban a lograr algo!

—Da instrucciones para el conjuro más poderoso de la Zifiri, la *Zifiri Incantata* —añadió Mack.

—¡Sí! —gritaron las chicas a la misma vez.

—¿Puede escribirnos lo que traduzca? —preguntó Zoe.

—Claro, claro —dijo Mack tomando un cuaderno y un bolígrafo.

Zoe y Mía se apoyaron contra el mostrador mientras Mack escribía las instrucciones para realizar el conjuro.

—Van a necesitar algunos ingredientes extraños —advirtió Mack.

—¿Cómo qué? —preguntó Mía preocupada.

—Dos plumas de cuervo, cinco gotas de veneno de serpiente, una hebra de pelo de la persona que otorgó la maldición, una lágrima de la persona maldecida y el objeto que contiene la maldición en su interior.

Zoe se llevó las manos a la frente.

—¿Algo más? —preguntó.

—Un par de cosas más comunes, como un puñado de tierra y una gota de agua de una fuente natural. Ah, y un poco de cera de vela.

Mack terminó de escribir las instrucciones y arrancó la hoja del cuaderno. Se la entregó a Zoe y se quedó mirándola. La expresión de la chica era una mezcla de energía y agotamiento. Por fin había encontrado el conjuro, pero ¿cómo iban a reunir todos esos ingredientes tan raros?

—¿Las puedo ayudar en algo más? —preguntó Mack.

—¿Tendrá un poco de veneno de serpiente por ahí? —dijo Zoe bromeando.

—En realidad, tengo algo de lo que necesitas —dijo Mack volteándose en la silla y mirando los estantes abarrotados detrás de él.

Las chicas se pusieron de puntillas, tratando de ver qué era lo que tenía. Mack se volteó hacia ellas y les alcanzó dos enormes plumas negras.

—¿Plumas de cuervo? —preguntó Mía entusiasmada.

—Con toda seguridad —respondió Mack—. Hace unos días había un hermoso cuervo merodeando por el estacionamiento. Se me ocurrió recoger las plumas cuando salí del auto. Me encanta ese color negro azulado, por eso las guardé.

Mía y Zoe intercambiaron una mirada.

—¿Está seguro de que no le importa deshacerse de ellas? —preguntó Mía.

—Son suyas —respondió Mack—. Me complace poder ayudarlas.

—¡Gracias! —dijeron las chicas.

—¡Buena suerte! —dijo Mack—. Pasen por aquí nuevamente, quiero saber cómo les fue.

—¡Por supuesto, lo haremos! —prometió Zoe.

—Y no... no vayan a meterse en problemas por esto, ¿de acuerdo? —añadió Mack.

—No —le aseguró Mía.

Las chicas salieron de la tienda a toda velocidad.

—Ahora tenemos que encontrar a Serafina esté donde esté —dijo Mía—. Necesitamos una hebra de su cabello.

—Pero, ¿cómo vamos a encontrar la feria? —preguntó Zoe—. ¡Podría estar en Nueva York!

Mía frenó en seco y señaló hacia delante.

—¡Mira eso! —dijo casi gritando.

Había un enorme anuncio de la feria pegado en la pared al lado de la librería.

Zoe leyó el cartel de arriba abajo.

—La feria está en Vancouver, Washington, hoy y mañana. Eso no está tan lejos. ¡Podemos encontrar la manera de llegar allí!

—Creo que vamos a tener que trazar un plan —dijo Mía asintiendo con la cabeza.

Las chicas salieron en las bicicletas hacia la casa de Zoe llenas de energía. Zoe no podía creer que ya tuvieran el conjuro y que también supieran dónde se encontraba la feria. ¡Ya era hora de que su suerte comenzara a cambiar! Su mente era un hervidero de ideas, pensando cómo encontrar a Serafina y los otros ingredientes que necesitaban, cuando de repente oyó un chasquido. Su bicicleta se tambaleó y ella se agarró frenéticamente del manubrio temiendo caer en una zanja. Miró hacia abajo y se dio cuenta de que tenía una llanta pinchada.

Mía disminuyó la velocidad y regresó hasta donde estaba Zoe.

—Uf —dijo.

Zoe se agachó para ver la llanta. Acababa de ver un clavo que la atravesaba cuando oyó un chirrido. Levantó la mirada y casi se le detiene el corazón. ¡Un auto azul que pasaba por la carretera se dirigía fuera de control hacia ella! Quería moverse, pero no sabía hacia dónde. Tenía el presentimiento de que el auto iba a golpearla, y el miedo la paralizó. Cerró los ojos, y entonces sintió que algo la golpeaba.

Cuando abrió los ojos, estaba tendida a un lado de la carretera. Mía la miraba fijamente con una expresión de terror. Había saltado de su bicicleta para empujar a Zoe justo a tiempo. El auto estaba a unos dos metros de distancia con la defensa incrustada en la acera. Zoe intentó quitarse la tierra de los ojos, pero estaba pegada con el sudor. Una mujer salió del auto accidentado y corrió hacia ellas.

—¡Ay, mi madre! ¿Están bien? —gritó—. El volante se trabó. Traté de girarlo y pisar el freno, pero el auto no reaccionaba. ¡Lo siento mucho!

La mujer estaba tan nerviosa que le faltaba el aire.

—¿Zoe? —preguntó Mía—. ¿Estás bien?

—Yo... creo que sí —logró responder Zoe. Tenía la garganta tan seca que su voz era apenas un susurro.

La mujer se agachó junto a Zoe.

—Deja que te lleve al hospital o que llame a tus padres —dijo.

Mía le apretó la mano a su amiga.

—Zoe, ¿estás segura de que estás bien? ¿Quieres ir al hospital? —preguntó Mía.

Zoe se incorporó y miró a su alrededor. Luego, le tendió la mano a Mía para que la ayudara a levantarse.

—Estoy bien. De verdad —dijo.

Mía se volteó hacia la mujer y se hizo cargo de la situación una vez más.

—Estamos bien —dijo con aplomo—. Mi amiga está bien. No está herida. Solo fue un accidente.

—¿En serio? —preguntó la mujer nerviosa—. No sé lo que pasó, yo solo... ¿Están seguras de que están bien?

Zoe asintió aturdida. Físicamente estaba bien, con algunos nuevos rasguños para agregar a su colección, pero por dentro sabía que lo que acababa de pasar no era un simple accidente. Se dio cuenta de que la mujer no tenía nada que ver con el asunto, y que solo había sido un instrumento.

—¿Zoe? —dijo Mía preocupada.

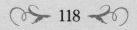

—Estoy bien —dijo Zoe intentando sonar calmada—. Solo estoy un poco asustada, eso es todo.

Mía volvió a hablar con la mujer mientras Zoe apartaba su bicicleta de la carretera. Zoe trató de limpiarse la cara y las piernas. El contacto tan cercano con el peligro hizo que se le escaparan unos sollozos. La mujer le dio su teléfono a Mía y miró preocupada a Zoe, pero finalmente se dirigió a su auto, arrancó y se alejó.

—Pensé que no se iría —dijo Mía mientras caminaba junto a Zoe—. ¿Seguro que estás bien?

—¡Gracias a ti estoy bien! —respondió Zoe lloriqueando—. Me salvaste la vida.

—Gajes del oficio —dijo Mía haciendo lo imposible para que su comentario sonara chistoso, pero no podía enmascarar el miedo en su voz.

—Debería llamar a mi papá para que nos recogiera —logró decir Zoe tragándose las lágrimas—. Creo que debo ir a casa y acostarme.

—Totalmente de acuerdo —coincidió Mía—. Ya encontraremos la manera de llegar mañana a la feria, después romperemos la maldición y todo esto habrá terminado.

Zoe asintió con la cabeza y se secó las lágrimas.

—Eso haremos. Está claro que la maldición no se va a detener hasta que no me...

No tuvo que terminar la frase; ahora estaba segura de que estaba en peligro. Llamó a su papá, pero no mencionó lo del accidente, solo le contó que la llanta de su bicicleta se había pinchado. Luego ella y Mía caminaron hasta la intersección más cercana y esperaron a la sombra en una parada de autobús. El calor era sofocante y estaban demasiado cansadas. Por fin, apareció el papá de Zoe en su camión. Zoe y Mía se sentaron en la cabina con aire acondicionado mientras el papá de Zoe acomodaba las bicicletas en la parte trasera del camión.

—Chicas, se ven agotadas —dijo el papá de Zoe.

—Es que hace mucho calor —dijo Zoe rápidamente.

Nadie dijo nada más hasta que el papá de Zoe volvió a hablar.

—Zoe, ¿sabes que los padres de Noé Bronstein me llamaron esta mañana pidiéndome que dejaras de molestar a su hijo?

A Zoe se le cayó el corazón a los pies... como un bloque de cemento.

—¿En serio? —preguntó.

—¿Qué pasa con ese chico? ¿Lo estás acosando?

El papá de Zoe hablaba como si se tratara de un chiste. ¡Pero no era gracioso!

—¡No! —respondió Zoe mortificada—. Se trata de un gran malentendido. Traté de explicarle, pero Noé no me creyó.

—Bueno, trata de aclarar las cosas, ¿de acuerdo? —dijo su papá—. No quisiera tener que quitarte el celular.

Zoe se enterró en el asiento y trató de no echarse a llorar de nuevo. Mía le apretó una mano. Cuando por fin estacionaron en la entrada del garaje, después de dejar a Mía, Zoe no tenía fuerzas ni para entrar en la casa. Estaba tan agotada que solo quería tomar una ducha e irse a la cama. Subió las escaleras hasta su habitación y encendió la luz. Se quitó las sandalias llenas de polvo, y estaba a punto de entrar al baño, cuando algo le llamó la atención. Se dio la vuelta y dejó escapar un grito. Allí estaba, tendido en medio de la cama, el collar.

CAPÍTULO NUEVE

Zoe se apartó espantada. No podía calmarse y sentía que se iba a desmayar. Daba vueltas en círculo una y otra vez sin saber qué hacer. ¿Debía lanzar el collar por la ventana? ¿Llamar a Mía? ¿Tratar de explicarle a su papá lo que sucedía?

Se arrodilló en medio de la habitación y sacó el celular de su bolsa. Luego de varios intentos, logró marcar el número de Mía.

"¡Contesta!", se decía frenéticamente, pero la llamada pasó directo al correo de voz de su amiga.

Colgó sin dejar mensaje. Sabía que si trataba de hablar comenzaría a llorar. Tenía un ataque de nervios.

Zoe se quedó mirando el collar. La piedra del dije brillaba como si se tratara de una señal de alerta. Caminó de rodillas hasta el escritorio en busca de algo donde pudiera guardar el collar. Entre sollozos, revolvió los cajones hasta que por fin encontró un viejo estuche de lápices. Se arrastró hasta la cama y cogió el collar. Al instante, una sensación de alivio se apoderó de ella. Se sentía tan cálido y provocador, como si nada malo le pudiera suceder.

—¡No! ¡No! ¡No! —gritó luchando contra el impulso de ponérselo de nuevo.

Movió la cabeza como si estuviera tratando de alejar la tentación y guardó el collar rápidamente en la caja. Volvió a arrastrarse hasta el escritorio, abrió el primer cajón, enterró el estuche bajo una pila de papeles y cerró el cajón con una pequeña llave plateada. Cuando se puso de pie, sentía que se iba a caer. Estaba mareada y sus piernas apenas podían sostenerla. Caminó hasta la cabecera de la cama y puso la llave debajo de la almohada.

Se desplomó sobre la cama hecha un manojo de nervios. Sabía que guardar el collar bajo llave no cambiaba nada. Eso no detendría la maldición ni la protegería de nuevos accidentes. Ella misma había ayudado a Mía a enterrar el collar en el patio de su casa y como por arte de magia había aparecido otra vez en su habitación, como si fuera lo más natural del mundo… como si ese fuera su lugar.

Por fin logró levantarse y caminar hasta el baño para darse una ducha. El agua limpia y fría la alivió un poco, pero todavía se sentía desconsolada. Regresó a la habitación y se metió en la cama.

La mañana amaneció resplandeciente y cálida como el día anterior. Durante la noche, Zoe había arrojado al suelo las sábanas y el edredón, pero aun así se despertó incómoda y sudorosa. Podía sentir el calor que entraba por la ventana abierta de su habitación. No recordaba otro verano tan caluroso en Portland. Se sorprendió de haber dormido tan profundamente; después de todos los sustos, pensaba que iba a pasar la noche despierta, pero el sueño la venció.

En eso sonó el celular y dio un brinco. ¿Alguna vez volvería a ser normal? Extendió la mano y tomó el teléfono. Sintió un salto en el estómago, pero se trataba de Mía. Estaba tan nerviosa que cualquier cosa la asustaba.

—Hola —dijo Zoe atontada.

—No sé cómo no escuché tu llamada anoche. Cuando me di cuenta era demasiado tarde para llamarte. ¿Todo bien?

—No —dijo Zoe.

—¿Y ahora qué pasó? —preguntó Mía.

—Cuando llegué a casa ayer por la noche, el collar estaba en mi cama —dijo Zoe sin poder creerlo aún.

—No puede ser —murmuró Mía.

—En serio —dijo Zoe—. Casi me muero.

—No es posible —dijo Mía aún más bajito.

—Lo sé —dijo Zoe temblando—. Pero, ¿acaso son posibles las cosas que me han pasado?

—¿Y qué hiciste con él? —preguntó Mía.

—Lo guardé en el escritorio, aunque creo que no servirá de mucho.

—Ay, Zoe. ¡Qué horror!

Mía parecía estar a punto de llorar.

—Entonces, ¿a qué hora puedes venir? —preguntó Zoe—. Hoy *tenemos* que ir a la feria y romper la maldición.

—Tengo que comer en casa de mi abuela —suspiró Mía—. Le dije a mi mamá que debemos ir temprano para poder reunirme contigo en cuanto regresemos.

—Está bien. Llámame o envíame un mensaje de texto cuando estés de regreso —dijo Zoe.

—Voy a tratar de que sea lo antes posible. Aguanta ahí, mi amiga.

—Trataré —dijo Zoe.

Zoe se levantó de la cama y se miró en el espejo. Se veía cansada, sudada, asustada, en fin, mal. Se puso unos jeans azul oscuro y una camisa blanca de algodón con un estampado alrededor del cuello y de un hombro. Luego se lavó la cara y se mojó el pelo. Se lo recogió en dos trenzas y se puso un poco de sombra plateada en los párpados con la esperanza de parecer despierta.

A duras penas bajó las escaleras, siguiendo el olor del tocino que venía de la cocina.

—Buenos días, mi amor. ¿Todo bien? —dijo el papá de Zoe alegremente, y le dio un beso en la mejilla.

Zoe se encogió de hombros y se dejó caer en una banqueta.

—Han sido días difíciles —dijo sin saber por dónde empezar.

—¿Asuntos de chicos? —preguntó su papá con torpeza—. ¿Ya aclaraste lo de Noé Bronstein?

—Todavía no, y no sé qué está pasando, papá. Mi celular marca su número por sí solo, ¡te lo juro! —dijo a punto de llorar—. Últimamente me han sucedido un montón de cosas extrañas.

—¿Cosas extrañas? —preguntó su papá.

—Sí, como el accidente de la bicicleta —soltó Zoe— y el martillo que me cayó en el dedo del pie y el neumático pinchado y la lasaña que se quemó con el horno apagado... ¡es que estoy maldita, papá!

El papá de Zoe se echó a reír.

—¿Maldita? ¿No te parece que estás siendo un poco melodramática, Zoe? Has tenido un poco de mala suerte últimamente y eso le pasa a cualquiera —dijo, y se acercó a besar a su hija.

Zoe se apartó molesta.

—Es verdad, papá —dijo sintiendo que le ardía la cara. ¿Por qué no podía creerle?

—No estás maldita, Zoe. Acabas de tener un par de accidentes, eso es todo. Pronto todo cambiará, ya verás. Crecer puede ser un proceso difícil, pero poco a poco será más fácil. Pásame el plato —dijo.

Zoe suspiró y le pasó el plato, esforzándose por contener las lágrimas que se le acumulaban en los ojos. Había tenido la esperanza de que su papá la tomara en serio.

"Tal vez debí haberle contado sobre el auto que casi me atropelló ayer", pensó. Estaba tan estresada y asustada que lo único que quería era que alguien le resolviera su problema. Pero ahora se daba cuenta de que ella y Mía estaban solas en esto. Nadie las iba a ayudar.

—Aquí tienes, cariño —dijo su papá alcanzándole un plato lleno de panqueques, fresas frescas, huevos revueltos y tocino.

—Gracias —murmuró Zoe.

—He estado tan ocupado últimamente que quería asegurarme de prepararte un buen desayuno esta mañana. También te iba a proponer una lasaña y algunas películas para la noche.

La imagen del horno en llamas cruzó por la mente de Zoe. No estaba segura de cuándo volvería a estar lista para comer lasaña.

—Bueno, en realidad quería que Mía durmiera aquí hoy. Sé que nos hemos quedado juntas un montón de noches, pero ella me está ayudando en mi nueva película —dijo.

—Sí, un montón de noches —repitió su papá—. Me alegra que se diviertan.

"La verdad es que no es exactamente divertido", pensó Zoe.

—Pues no hay ningún problema con que se quede aquí —añadió su papá.

—¿Y crees que podamos ir en autobús hasta Vancouver esta tarde? —preguntó Zoe esperanzada—. Ya fui en autobús con Micaela hace unos meses para ver aquel vídeo en el Museo de Arte Moderno, ¿recuerdas?

—¿A Vancouver? —preguntó su papá—. ¿A qué?

—Cuando salí de la feria la otra noche se me ocurrió rodar una película allí, pero ahora la feria está en Vancouver —dijo Zoe sintiéndose mal por tener que mentirle a su papá. Nunca antes lo había hecho, y esperaba no tener que volver a hacerlo.

—Déjame pensarlo —dijo su papá—. ¿Por qué no buscas el horario de autobuses, te aseguras de que a Mía le den permiso y luego hablamos de eso?

—Está bien —dijo Zoe, y soltó un suspiro.

Hasta el momento todo iba de acuerdo al plan, siempre y cuando la dejaran ir a Vancouver. Terminó el desayuno y ayudó a recoger y lavar los platos. Luego se fue a la oficina de su papá para usar la computadora porque la de ella seguía sin funcionar. Imprimió el horario de autobuses y un mapa de

Google donde se suponía que estaría la feria. Echó a lavar la ropa sucia y se puso a esperar a que sonara su celular... hasta que por fin sonó.

—Hola, ya regresé. ¿Cuál es el plan? —preguntó Mía de inmediato.

—Bueno, le pedí permiso a mi papá para que te quedes esta noche. ¿Crees que te dejarán quedarte?

—Creo que sí, y más ahora que la otra noche cuidé a Anabel.

—Genial —dijo Zoe.

Por primera vez en los últimos días se sentía en control de su vida. Ella y Mía iban a romper la maldición. No podía ser de otra manera.

—Le pregunté a mi papá si podía ir a Vancouver en autobús para filmar una película en la feria —explicó Zoe—, y me dijo que si tus papás estaban de acuerdo entonces él lo pensaría.

—Está bien —coincidió Mía—. Déjame hablar con mi mamá y te vuelvo a llamar.

Zoe se sentó en la cama y esperó impacientemente con el celular en la mano. Volvió a sonar.

—Me dieron permiso, pero tengo que estar en casa mañana a primera hora para cuidar otra vez a Anabel y ordenar mi cuarto —dijo Mía.

—Lo siento mucho, Mía —dijo Zoe—. Si quieres voy a ordenar tu habitación, lavar la ropa y cocinar para tu familia por el resto del verano.

Zoe estaba tan aliviada de que los papás de Mía aceptaran el plan que habría hecho cualquier cosa por ellos. Mía se rió, pero Zoe notó que su voz temblaba.

—Vamos a acabar de una vez con esto a ver si al menos logramos tener "el resto del verano". Estaré en tu casa en veinte minutos.

Cada tres segundos, Zoe se asomaba a la ventana de su habitación esperando a que Mía llegara. Le era imposible concentrarse en nada. En cuanto vio a Mía, corrió escaleras abajo para encontrarse con ella. Regresaron de prisa a la habitación y se sentaron en la cama con las instrucciones de la *Zifiri Incantata* que escribió Mack, el horario de autobuses y el mapa de Google frente a ellas.

—Entonces, suponiendo que la feria esté ahí, tenemos que encontrar la tienda de Serafina lo más rápido posible —dijo Zoe.

—¿Crees que deberíamos enfrentarla cuando la veamos? —preguntó Mía.

Zoe negó con la cabeza.

—¿Y si todavía está en ese trance extraño? Probablemente se sienta aliviada porque al fin se deshizo de la maldición. ¡Seríamos las últimas personas en el mundo que ella querría ver!

—Cierto —asintió Mía.

—Tenemos que entrar en su tienda sin que ella se entere —dijo Zoe estremeciéndose de solo pensarlo.

Leyó de nuevo las instrucciones escritas por Mack. Decían bien claro que solo el individuo maldito podía romper la maldición. Cuando tuviera todos los ingredientes de la lista, Zoe debía combinarlos en un orden determinado exactamente una hora antes del atardecer. También había una especie de conjuro que Zoe tenía que leer y las indicaciones de cómo destruir el talismán de la maldición: el collar.

—Creo que deberíamos llegar a Vancouver lo más rápido posible para estar de vuelta en mi casa y ponernos a trabajar en el conjuro. Ya revisé en internet que hoy el sol se pone a las 8:08, eso significa que debo realizarlo exactamente a las 7:08.

—Bueno, suena bien, supongo —coincidió Mía—. ¿Y el veneno de serpiente? ¿Dónde lo vamos a conseguir?

Zoe sentía que mientras más avanzaba el plan,

más nerviosa se ponía Mía. Por otro lado, ella había recuperado un poco de su antigua seguridad. Sabía que esta era su única oportunidad para romper la maldición, y estaba dispuesta a hacer lo que fuera necesario.

—Bueno, mientras esperaba a que llegaras me acordé de algo que vi en la tienda de Serafina. En un rincón había una cabeza de serpiente con la boca abierta como si estuviera a punto de atacar. Algo totalmente espeluznante. ¡Eso debía de haberme indicado que estaba a punto de tomar una mala decisión! —suspiró—. En fin, entre las mandíbulas de la serpiente había un pequeño frasco de vidrio. *Tiene* que *ser* el veneno, ¿verdad?

—Es posible... tal vez... no lo sé —respondió Mía preocupada.

—Bueno, lo primero es llegar a Vancouver sin que suceda nada horrible —dijo Zoe.

Mía se acostó en la cama, tapándose la cara con las manos.

—Entonces, nos colamos en la tienda de Serafina, buscamos una hebra de su cabello y robamos el veneno de serpiente —dijo, y soltó un suspiro.

—Y salimos de la tienda sin que nos descubra —concluyó Zoe.

—Uf —respondió Mía—. Me duele el estómago solo de pensarlo.

—Lo sé —dijo Zoe—. Y después de eso, tenemos que estar aquí a tiempo para romper la maldición una hora antes de la puesta del sol.

Zoe se tiró en la cama junto a Mía y trató de respirar pausadamente. Había tantas cosas que podrían salir mal. ¿Y si no encontraban la feria o la tienda de Serafina? ¿Y si el autobús se salía del puente y caía al río antes de llegar a Vancouver? Después del accidente del día anterior, no podía evitar imaginarse millones de finales trágicos.

Al cabo de un rato, Mía rompió el silencio con otra pregunta.

—Bueno, ¿cómo vamos a hacer para entrar a la tienda?

Las chicas se quedaron en silencio por un rato.

—¿Y si te disfrazas para distraer a Serafina mientras yo me cuelo en la tienda? —sugirió Zoe.

—¡No puedes estar hablando en serio! —dijo Mía horrorizada.

—¿Por qué no?

—¡Porque no! —gritó Mía—. ¿Y si me descubre? ¿Y si me atrapa en una jaula y me convierte en su esclava? O peor, ¿si me maldice también?

—No te va a descubrir —dijo Zoe—. Será un disfraz perfecto. Vas a parecer un chico. Puedo tomar alguna ropa de mi hermano.

Mía se cubrió la cara de nuevo.

—¿Y qué otra cosa podemos hacer? —dijo Zoe—. Ella no puede saber que estamos ahí.

Mía se quitó las manos del rostro y asintió.

—Está bien, está bien.

—¡Genial! —dijo Zoe dando un salto—. Ve recogiéndote el cabello que yo voy a asaltar el clóset de mi hermano y a hablar con mi papá sobre los horarios de autobuses.

A los veinte minutos, Zoe estaba de vuelta con un bulto de ropa.

—Hay un autobús que sale de Portland a las 3:15. Mi papá dice que nos va a llevar hasta la estación para estar seguro de que lo tomemos, y que luego nos recogerá, cuando volvamos, a las 6:05. Solo tenemos que acordarnos de llamarlo cuando lleguemos allá y otra vez antes de salir para acá.

—Está bien —respondió Mía, que parecía distraída tratando de recoger su pelo largo.

—Toma —dijo Zoe entregándole una gorra de béisbol.

—Perfecto —dijo Mía acomodándose el cabello dentro de la gorra.

Zoe le pasó a Mía una camiseta del equipo de baloncesto de Portland y unos *shorts* de camuflaje.

—Por suerte la camiseta se encogió y no se verá demasiado grande. Los *shorts* sí te quedarán como pantalones.

Mía la miró dudosa.

—Me los tendré que ajustar bien con un cinturón —dijo, y comenzó a cambiarse de ropa—. ¿Qué te parece?

Zoe sonrió.

—Va a funcionar. Tienes que ponerte las zapatillas y acomodarte bien el cabello dentro de la gorra. ¡Pareces un chico de verdad!

—Está bien, salgamos de esto de una buena vez —dijo Mía—. El resto del plan lo estudiaremos en el autobús.

CAPÍTULO DIEZ

El papá de Zoe se quedó mirando a Mía.

—Es que Mía interpreta a un chico en la escena que voy a filmar en la feria —explicó Zoe—. ¿Te parece bueno el disfraz?

—Supongo que sí —respondió su papá sonriendo—. Eres una actriz muy dedicada, Mía.

—Ni me hable de eso —murmuró Mía.

Antes de subir al autobús 106 con destino a Vancouver, el papá de Zoe les leyó la cartilla a Zoe y a Mía una vez más. Las chicas se sentaron al fondo del autobús y comenzaron a maquinar el resto de su plan; Zoe llevaba un bloc de notas para que no se le escapara nada. En realidad, tal parecía que estaban planeando la escena de una película.

—Cuando nos estemos acercando a la feria, vamos a separarnos para que ni siquiera nos vean juntas —comenzó Zoe—. Entonces, la que primero encuentre la tienda de Serafina enviará un mensaje de texto.

—Está bien —respondió Mía—. Y cuando sepamos dónde está su tienda, ¿cómo voy a distraerla?

—¿Qué te parece si te quedas dando vueltas fuera de la tienda gritando el nombre de alguien? —sugirió Zoe—. Finges estar buscando a un amigo o algo así...

—¿Y luego qué?

—Se supone que ella salga de la tienda a preguntarte qué haces. Le podrías decir que no puedes encontrar a tu amigo y que no sabes llegar a la atracción donde quedaron en verse, que debe ser una que esté bien lejos de la tienda. Incluso le puedes pedir que te acompañe.

—Humm —dijo Mía considerando el plan—. Sí, creo que podría funcionar.

Las chicas miraron por la ventanilla del autobús mientras cruzaban el río. Rápidamente, Zoe se volteó hacia Mía y se concentró en su cara, tratando de ignorar el hecho de que el autobús estaba pasando sobre el agua.

—¿Y si no me acompaña? —preguntó Mía.

Zoe se quedó en silencio durante unos minutos.

"Esto tiene que salir bien", pensó desesperada. Entonces, se le ocurrió una idea mejor.

—¿Tú sabes llorar de mentira? —preguntó.

—Lo puedo intentar —dijo Mía respirando profundo.

—Eso podría ayudar. Mejor le dices que no encuentras a tu mamá en vez de a un amigo, quizás parezca más creíble, sobre todo porque pareces un niñito con esa gorra.

—Está bien, entonces me hago la que estoy perdida y empiezo a llorar frente a su tienda —comenzó a recapitular Mía—. Cuando salga, le digo que tenía que encontrarme con mi mamá en la atracción que más lejos esté de su tienda y que mi mamá debe de estar muy disgustada de que yo ande perdido. Tal vez con eso se sienta presionada a llevarme hasta la atracción.

—Perfecto —dijo Zoe justo cuando el autobús se detuvo en la terminal.

Tomó el mapa impreso y lo analizó al salir del autobús. Se pusieron en marcha rumbo a la feria, que por suerte no estaba a mucha distancia.

—Llama a tu papá —dijo Mía.

—Ay, verdad.

Zoe estaba tan concentrada en su plan y tan nerviosa por colarse en la tienda de Serafina que ya había olvidado las instrucciones de su papá. Todavía no había llegado a la feria y ya podía sentir el corazón desbocado. Las chicas contuvieron la respiración a medida que se acercaban al lugar donde debía estar la feria. Toda la planificación no les serviría de nada si la feria no estaba allí. Mía agarró el brazo de Zoe y señaló al cielo. Por encima de un edificio podía verse la parte superior del Kamikaze. Zoe chilló y saltó aliviada. ¡Tal vez su suerte estuviera a punto de cambiar!

Decidieron separarse una cuadra antes. Mía dio la vuelta por el costado derecho tratando de encontrar una entrada lateral y Zoe entró por la puerta principal. Enseguida se puso la gorra de béisbol que había traído para que Serafina no la reconociera. Mantuvo los ojos alerta, sin hacer contacto visual con nadie mientras intentaba localizar la tienda.

Llevaba unos diez minutos recorriendo el lugar cuando sonó su celular con un mensaje de texto de Mía: La encontré. A la derecha de la entrada.

Zoe empezó a caminar hacia la entrada y se escondió detrás de una hilera de baños portátiles para llamar a Mía.

—¿Pudiste ver si Serafina estaba dentro de la tienda? —preguntó Zoe en cuanto Mía contestó.

—Sí. La vi entrar y estaba sola. Parece que venía de llenar una jarra de agua. Y ya me fijé cuál es la atracción que queda más lejos de aquí, así que estoy lista —soltó Mía nerviosa.

—¡Fantástico! Voy para allá —dijo Zoe—. Te envío un mensaje de texto tan pronto encuentre la tienda y un sitio desde donde pueda ver si Serafina te acompaña a la atracción.

—Está bien.

—Oye, ¿Mía?

—¿Sí?

—Eres la mejor amiga del mundo.

—¡Que no se te olvide!

Zoe apresuró el paso. Tenían que actuar rápido para tomar a tiempo el autobús de regreso. Si lo perdían, tenía la impresión de que su papá no sería tan complaciente con el resto de sus planes para el verano. Por fin encontró la tienda. Solo con verla un tropel de recuerdos pasó por su mente. Podía oler el aroma intenso de las velas y ver los ojos traslúcidos de la mujer mientras pronunciaba la maldición. Se moría de ganas de que todo acabara de una buena vez.

Buscó un lugar para esconderse. A pocos metros estaba estacionado un remolque con varios coches de una de las atracciones. Se aseguró de que nadie estuviera mirando y se metió en uno de los coches. Desde allí podía ver perfectamente el frente de la tienda y ocultarse al mismo tiempo. Se agachó y le envió un mensaje a Mía. Lista.

Un minuto más tarde, apareció Mía frente a la tienda, sollozando y caminando de un lado a otro. Después se sonó la nariz haciendo mucho ruido. Zoe no podía creer que Mía lo estuviera haciendo tan bien. En ese momento la cortina de la entrada de la tienda de Serafina se abrió unos centímetros y Zoe sintió náuseas. Podía jurar que sentía en su pecho el calor del collar ausente.

Serafina salió de la tienda y avanzó lentamente hacia Mía. Zoe sonrió. Parecía que se estaba creyendo la actuación de Mía por la expresión que puso mientras hablaba con su amiga. Durante todo ese tiempo Mía mantuvo la cabeza baja, mirando al suelo. No podía oír lo que decían, pero Serafina le pasó la mano por el hombro a Mía.

"¡Funcionó!", pensó Zoe. Ahora tenía que estar lista para cuando llegara su turno.

Mía señaló vagamente hacia el otro lado de la feria y Serafina miró en esa dirección. Luego miró de nuevo hacia la tienda, dudosa. Al notar que Serafina vacilaba, Mía se tapó la cara fingiendo que estaba llorando otra vez. ¡Era una verdadera actriz! Por fin, después de lo que pareció una eternidad, Serafina se dispuso a ir con Mía, pero entonces se detuvo.

—¡No! —susurró Zoe.

Serafina regresó a la tienda. Mía buscó a su alrededor tratando de detectar a Zoe, pero Zoe se agachó. No quería que la mirada de Mía la delatara.

Después de un rato, Zoe se asomó y vio que Serafina cerraba la tienda. Después de todo, ¡iría con Mía hasta el otro lado de la feria! Zoe sintió un alivio tan profundo que le dieron ganas de llorar. Casi no podía creer que su plan estuviera funcionando. Esperó a que se alejaran un poco y salió disparada de su escondite. Miró rápidamente en ambas direcciones y se metió en la tienda. El corazón le latía con tanta fuerza que sentía la presión contra sus tímpanos.

Miró frenéticamente alrededor del pequeño espacio.

—Veneno de serpiente y cabello de Serafina —recordó en alta voz—. En primer lugar, encontrar la cabeza de serpiente.

Ahí estaban la cama personal y la pequeña mesa donde había visto la cabeza de serpiente. Pero ahora no la veía por ninguna parte. Se puso de rodillas y comenzó a arrastrarse por el suelo de la tienda, recorriendo cada centímetro con la vista. Sacó una bolsa de cuero que estaba debajo de la cama. Casi todo lo que contenía era ropa interior, pero siguió buscando hasta sentir algo duro. Dentro de un bolsillo interior había un neceser. Al abrirlo, encontró un cepillo de pelo. Con una expresión de desagrado, le sacó todo el cabello que pudo y lo guardó en la bolsa de plástico que había traído consigo.

—Una cosa menos —susurró en voz baja.

El corazón le latía con tanta fuerza que casi no podía distinguir sus propios pensamientos.

Se arrastró de rodillas hasta la mesa que estaba en el centro de la tienda. Allí solo había velas y cartas del tarot. Siguió buscando desesperadamente por el suelo. En ese momento, oyó voces que provenían de fuera. Aunque sonaban bastante lejos, sentía que se acercaban.

Zoe pensó que se desmayaba. ¿Qué haría si Serafina la encontraba en la tienda? Ella ya estaba maldita... ¿acaso podría empeorar la maldición? Se esforzó por escuchar pero no podía distinguir las voces. Corrió hasta el otro lado de la tienda y revisó dentro de una pequeña bolsa llena de más velas. Entonces recordó que el conjuro también llevaba cera y guardó un par de velas en su bolso.

Se dio la vuelta y comprobó que no le quedaban muchos más sitios por revisar. Estaba a punto de darse por vencida y salir corriendo cuando algo llamó su atención. En una esquina, detrás de una jarra de agua, había una caja de madera. Casi en estado de pánico, la agarró y le quitó la tapa. Allí estaba la misma cabeza de serpiente sobre el satén rojo que ella había visto antes. Un diminuto frasco de líquido descansaba entre sus mandíbulas. Tenía que ser el veneno. Si no lo era... Zoe no quería ni pensar en esa posibilidad. Retiró el frasco con mucho cuidado, como si la serpiente pudiera cerrar la boca y morderle los dedos en cualquier momento. Colocó el frasco en el bolsillo de su pantalón y corrió hacia la entrada de la tienda. Entonces, oyó las voces de nuevo. ¡Estaban conversando justo delante de la tienda!

—Era un chico que no encontraba a su mamá.

¡Serafina!

—Tengo un mal presentimiento sobre este lugar, Frank —continuó diciendo la mujer.

—Pero eso mismo dijiste en Portland —respondió una voz masculina.

—Algo anda mal —dijo Serafina—. Hay mala energía. Tenemos que regresar al este y alejarnos de esta área.

¡Así que Serafina había sido la responsable de que la feria se fuera de Portland!

"Seguramente estaba tratando de escapar de la maldición lo más rápido posible", pensó Zoe.

—Sera, no podemos salir corriendo de todas las ciudades del noroeste solo porque tú tienes un mal presentimiento —dijo con severidad el tal Frank—. Además, el jefe todavía está enojado por haber perdido una noche en Portland. Está empezando a pensar que tu presentimiento era falso.

Zoe miró desesperada al fondo de la tienda buscando un lugar donde esconderse. No podía permitir que Serafina la descubriera. Estaba a punto de meterse debajo de la cama cuando una sombra de luz en el suelo llamó su atención. Se dio cuenta de que había una pequeña abertura en la parte posterior de la tela. Se acercó y pudo ver la mano de Mía levantando la tienda, indicándole a Zoe que pasara.

—No era *falso*, Frank —siseó Serafina—. ¡Aquí hay peligro!

—Bueno, en la mañana hablaremos con el jefe —suspiró Frank.

—Está bien, está bien —dijo Serafina—. Hasta luego, Frank.

Se escuchó un crujido al frente de la tienda y Zoe contuvo la respiración. Dando casi un salto mortal atravesó el espacio que Mía había abierto para que saliera. Solo oyó rasgarse un poco la lona. Temblaba tanto que sus piernas apenas podían sostenerla, pero Mía la agarró del brazo y la arrastró hasta un remolque que estaba estacionado detrás de la tienda. Se escondieron allí durante un minuto hasta que lograron recuperar el aliento.

Zoe no podía creer que lo hubieran logrado. Tenía los ingredientes que necesitaban y había escapado sin que Serafina la descubriera. Sin embargo, no podía evitar la sensación de que algo terrible estaba a punto de ocurrir. Debía regresar a su casa cuanto antes y romper la maldición. No se sentiría segura hasta que no lo hiciera.

Mía se asomó y trató de detectar cualquier movimiento alrededor de la tienda de Serafina. Después de otro minuto interminable, le hizo una seña a Zoe para que la siguiera y le indicó la dirección que ella pensaba que deberían tomar para salir de la feria.

"Por favor, por favor, por favor —se decía Zoe sin parar—, que nadie nos vea".

Mía se puso de pie, miró la tienda por última vez y salió por detrás de la hilera de remolques. Zoe ni siquiera miró la tienda. Se concentró en seguir a Mía y corrió tan rápido como pudo hacia la salida.

Las chicas no se detuvieron hasta llegar a la estación de autobuses. Sin esperar a recuperar el aliento, Zoe revisó la pizarra de horarios de salida hasta que vio el autobús 219 con destino a Portland. Corrieron hacia la puerta de embarque y llegaron justo cuando las puertas del autobús se cerraban. Desesperada, Zoe golpeó en el cristal y el conductor abrió las puertas a regañadientes para que las chicas pudieran subir.

Mía fue directo hasta el fondo del autobús y se desplomó en un asiento al lado de una ventanilla. Zoe la siguió y cayó prácticamente aniquilada a su lado. Se sentía aliviada de estar lejos de la feria y de Serafina, pero un nuevo temor merodeaba sus pensamientos.

—¿Y si el conjuro no funciona? —soltó. No podía seguir ocultando su preocupación.

—Tiene que funcionar —dijo Mía.

Zoe podía percibir el agotamiento en la voz de su amiga.

"Por supuesto que tiene que funcionar", pensó.

CAPÍTULO ONCE

Cuando el autobús llegó a Portland a las 6:31, el papá de Zoe las estaba esperando en la estación. Tenían apenas cuarenta minutos para romper la maldición.

"Espero que nos alcance el tiempo para preparar el conjuro", pensó Zoe. No creía que pudiera soportar otro día en esa situación; tenía que hacer lo imposible para romper la maldición esa misma noche.

—Tenemos el veneno, las plumas, el pelo y la cera —murmuró Zoe rápidamente mientras caminaban hacia el camión de su papá.

Mía la miró confundida.

—Sí, también me llevé una de las velas de Serafina. Como tenemos poco tiempo pensé que así íbamos adelantando —agregó Zoe.

—Bien pensado —dijo Mía.

—Solo necesitamos un poco de tierra y agua.

—Y tus lágrimas.

—¿Qué?

—Ese es otro de los ingredientes de la lista. Las lágrimas de la persona que está maldita —le recordó Mía a Zoe.

—Oh, sí, claro —respondió Zoe—. No se nos puede olvidar.

—¿Qué tal la filmación? —preguntó el papá de Zoe mientras subían al camión.

—Bien —respondieron las chicas al unísono.

—¿Cómo quedó tu actuación, Mía? —dijo el papá de Zoe.

—Humm... bien, supongo —respondió Mía.

—Está siendo modesta, papá —dijo Zoe—. ¡Estuvo increíble! Fue una actuación digna de un Oscar.

—Me alegra oír eso —dijo el papá de Zoe conteniendo la risa.

Cuando llegaron a la casa, Zoe miró la hora en su celular. Eran las 6:48. Solo les quedaban veinte minutos.

—¡Gracias de nuevo, papá! —dijo Zoe saltando del camión y entrando en la casa.

—¡Sí, gracias! —repitió Mía.

Las chicas volaron hasta la habitación de Zoe y colocaron los ingredientes sobre la alfombra. Entonces, Zoe revisó la lista de Mack.

—Hagamos lo siguiente, tú vas al patio a buscar la tierra y yo voy a buscar agua a la cocina —dijo.

—Pero pensé que el agua tenía que ser "natural" o algo por el estilo. Creo que no podemos utilizar la del grifo —argumentó Mía.

—Buena observación. ¡Ya sé! En el patio está esa pequeña fuente que hizo mi papá con las piedras. ¿Eso es agua natural, verdad?

—Creo que sí —dijo Mía—. ¡Vamos a intentarlo!

—Entonces tú traes la tierra y el agua y yo busco las otras cosas.

Mía se levantó de un salto y salió corriendo. Zoe hizo lo mismo. Tenía que conseguir un tazón, una caja de fósforos, una taza para recoger sus lágrimas y un martillo en el garaje. Luego debía encontrar la manera de llorar.

—¿Y ahora en qué andan? —dijo el papá de Zoe al notar tanto alboroto.

—Estamos ultimando algunos detalles para la película, papá —respondió Zoe con voz inocente—. Nada del otro mundo.

—Bueno, traten de no romper nada. Recuerda que desde hace un tiempo eres un poco propensa a los accidentes.

—Humm, sí, está bien —respondió Zoe, pero se dio cuenta de que los ojos de su papá estaban concentrados en un partido de béisbol que estaban pasando en la televisión. ¡Perfecto!

Mía entró del patio con una bolsa de tierra y una taza de agua, y subió corriendo con su amiga a la habitación. Zoe sacó la llave que había guardado debajo de la almohada y miró al escritorio. Desde lo más profundo de su ser suplicaba que el collar estuviera dentro del estuche de lápices. Con las manos temblorosas, abrió el cajón e inmediatamente vio el collar brillar intensamente dentro del estuche, que puso sobre la alfombra con el resto de los ingredientes. Eran las 6:59.

—Creo que ya lo tenemos todo menos tus lágrimas, ¿no? —preguntó Mía.

—Sí. No sé bien lo que voy a hacer para llorar —dijo Zoe.

—Basta con pensar en todo lo que te ha ocurrido —sugirió Mía—. Eso debería ser suficiente.

Zoe se sentó en la alfombra y se concentró en los

acontecimientos de los últimos días. La feria había sido muy divertida, ¡y había confirmado que le gustaba a Noé! Pero esa diversión terminó convirtiéndose en su peor pesadilla: era probable que Noé no le hablara nunca más, su computadora portátil se había descompuesto, su película se había arruinado y había estado casi a punto de ser atropellada por un auto.

En cuestión de segundos, las lágrimas comenzaron a rodar por su rostro, y también un par de lágrimas se asomaron a los ojos de Mía. Zoe echó la cabeza hacia delante y dejó caer las lágrimas en un vaso. Luego miró el reloj de pared gigante del escritorio. Eran las 7:05. Tenía que dejar de llorar. Faltaban menos de tres minutos para iniciar el conjuro. Respiró profundo y se limpió la cara. Le echó otro vistazo a las instrucciones. Mía puso cada uno de los ingredientes en el orden en el que los necesitarían. Ninguna de las dos tocó el collar... simplemente empujaban el estuche. Zoe encendió la vela para que la cera comenzara a derretirse.

—¿Y si entra tu papá? —preguntó Mía con nerviosismo.

—No va a entrar —respondió Zoe—. Siempre

toca a la puerta. Además, ahora está pegado a la televisión viendo el partido de béisbol.

El reloj marcó las 7:07. Zoe contuvo el aliento durante el minuto más largo de su vida. 7:08. Tenía un nudo en el estómago. Era un momento decisivo. Dejó escapar un suspiro y miró a su amiga. Mía intentó sonreírle, pero estaba tan nerviosa que su expresión más bien parecía de dolor. Ya era hora de comenzar el conjuro.

Zoe colocó las dos plumas de cuervo en el fondo del recipiente, formando una X. Luego derramó diez gotas de cera sobre las plumas moviendo la vela en sentido contrario a las manecillas del reloj. Sorprendentemente, su mano no temblaba. Luego mezcló una pizca de tierra y cinco gotas de agua y vertió la mezcla en la taza. Después añadió el cabello de Serafina. Sostuvo la taza con las lágrimas y dejó caer una gota sobre la mezcla.

Los dos últimos ingredientes eran el collar y el veneno de serpiente. Sacó el collar del estuche de lápices y lo puso rápidamente dentro del recipiente, antes de que pudiera apoderarse de sus pensamientos. En cuanto tocó la mezcla, la piedra roja comenzó a resplandecer. Las chicas se quedaron mirando la piedra con una mezcla de horror y fascinación. Por fin, Zoe agarró el frasco del veneno de serpiente y lo destapó con cuidado. Ahora venía la parte del conjuro. Zoe tenía que leerlo en italiano mientras derramaba las cinco gotas de veneno sobre el dije, esta vez en el sentido de las manecillas del reloj. Por suerte, Mack lo había escrito todo claramente indicando la pronunciación en italiano. Mía sostenía el trozo de papel frente a Zoe mientras ella derramaba el veneno sobre el collar y el resto de los ingredientes. Lentamente, Zoe pronunció cada palabra lo mejor que pudo.

Un serpente, senza una lingua,

(Una serpiente sin lengua,)

Un serpente, senza veleno,

(Una serpiente sin veneno,)

Un serpente, senza un occhio

(Una serpiente sin un ojo,)

La maledizione è rotta.

(La maldición se ha roto).

Zoe dejó que el veneno cayera poco a poco en el recipiente, asegurándose de añadir exactamente cinco gotas.

Cuando terminó de verter el veneno, tenía que repetir el conjuro cuatro veces más moviendo la mano izquierda encima del recipiente. Cada vez que terminaba de decir las palabras, notaba que el resplandor de la piedra se iba debilitando. Comenzó a pronunciarlas más fuerte y con más confianza. ¡El conjuro estaba funcionando! Cuando leyó las palabras por última vez, la joya había dejado de brillar por completo. La piedra parecía apagada y negra. Ya no era transparente como antes.

—Está funcionando —susurró Mía asombrada—. ¡No puedo creerlo!

—¡*Shh*! —murmuró Zoe—. ¡No seas pájaro de mal agüero!

El último paso del conjuro consistía en destruir el talismán de la maldición. Las chicas habían decidido que Zoe rompiera el dije con un martillo y cortara la cuerda de cuero que lo sujetaba. Zoe agarró una toalla de cocina para sacar el collar del recipiente. No quería que rozara su piel nunca más. Y menos ahora que estaba cubierto de veneno de serpiente y pelo de Serafina. ¡Qué asco!

Cubrió el dije con la toalla y apuntó con el martillo.

Entonces, le sonrió a Mía y dio un martillazo con

toda su fuerza. Pudo oír al dije resquebrajarse bajo el golpe. Martilló unas cuantas veces por precaución y con cada golpe se iba sintiendo más relajada. Entonces, levantó con cuidado una esquina de la toalla. El dije estaba irreconocible y la piedra se había vuelto añicos... parecía arena negra.

Pero, de repente, las partículas de piedra comenzaron a agitarse, formando un diminuto tornado de polvo negro sobre la toalla. Zoe y Mía se quedaron mirando el remolino con incredulidad. Sin saber muy bien por qué, Zoe tomó el frasco medio vacío de veneno de serpiente, lo destapó de nuevo y lo colocó cerca de la toalla. La nube de polvo se arremolinó hacia el frasco y se introdujo en él. Tan pronto entró el último grano de arena negra, Zoe le puso la tapa al frasco. La mezcla de polvo y veneno formó una sustancia negra y pegajosa, parecida al alquitrán.

Zoe recogió el frasco, la cuerda de cuero de la que antes colgaba el dije y pedazos dispersos de metal y los envolvió en la toalla.

—Vamos a enterrarlo todo en el patio —sugirió—. Tengo la sensación de que esta vez no se va a mover de ahí.

—Buena idea —dijo Mía.

Bajaron las escaleras y Zoe le dijo a su papá que iban a salir al patio por un minuto. Él se limitó a asentir con la cabeza y volvió a concentrarse en el partido de béisbol. Pasaron por el garaje para recoger una pala.

—¡No puedo creer que haya dado resultado! —dijo Zoe, y se echó a reír.

De nuevo se sentía ligera, libre y feliz por primera vez en días. No podía explicarlo, pero sabía que todo había salido bien y que la maldición se había roto. La agobiante nube que se había cernido sobre ella durante días se había ido.

Con un repentino estallido de energía, Zoe cavó rápidamente un agujero en la tierra. Lo hizo bien profundo para que su papá no tropezara con la extraña mezcla si algún día decidía sembrar más plantas en el patio. Mía abrió la toalla y dejó caer la mala suerte en el hoyo. Por si acaso, las dos también escupieron en el agujero y acto seguido Zoe volvió a taparlo con tierra. Luego entraron corriendo a la casa.

El papá de Zoe estaba colocando los platos para la cena. Había hecho lasaña. Zoe sonrió. De repente, se dio cuenta de lo hambrienta que estaba… ¡y nada mejor que una lasaña!

—Ya terminamos, papá —dijo Zoe dándole un abrazo—. A partir de ahora todo va a ser como antes, te lo prometo.

CAPÍTULO DOCE

Zoe estaba dormida en la hamaca con un libro entre las manos cuando sonó su celular. Lo buscó rápidamente por el césped y miró la pantalla. Era Noé.

—Hola, Noé —respondió.

—Hola —dijo Noé—. Esto... Humm... quería saber si tal vez... si no estabas ocupada ni nada... si tienes algo que hacer lo dejamos para otro día, pero... ¿quieres ir al cine esta noche?

Zoe sonrió y se meció en la hamaca.

—Claro que sí. ¡Me parece fantástico!

—¡Muy bien, genial! —dijo Noé entusiasmado.

Zoe cerró los ojos con fuerza y sintió que le ardía la cara, a pesar de que estaba sola en el patio. Hacía una semana que Noé y ella habían vuelto a hablar, pero sus conversaciones telefónicas eran todavía un poco incómodas. Zoe esperaba que todo fuera más natural cuando comenzara la escuela, la semana siguiente.

—Zack también quiere ir, y me pidió que invitara a Mía —dijo Noé.

Zoe alzó las cejas sorprendida y sonrió de nuevo. ¡A Zack le gustaba Mía! Se moría de ganas de decírselo. Mía llegaría a su casa en cualquier momento.

—¡Por supuesto! —respondió Zoe—. Mía está en camino ahora mismo, así que voy a preguntarle y luego te llamo.

—Está bien, chao —dijo Noé de prisa.

Zoe soltó una risita.

—Bueno, chao.

Justo en ese momento, apareció Mía en la puerta de la cocina.

—¡Hola!

—¡Mía! —dijo Zoe saltando de la hamaca y corriendo hacia ella—. ¡Zack quiere saber si quieres ir al cine esta noche!

—¿En serio? —dijo Mía abriendo mucho los ojos.

—¡Sí! Conmigo y Noé...

Las chicas volvieron corriendo a sentarse en la hamaca y comenzaron a hacer planes para la cita. Las cosas no solo habían regresado a la normalidad desde que hicieron el conjuro y destruyeron el collar, sino que se habían puesto mejor que nunca. Al principio a Zoe le costó trabajo ponerse en contacto con Noé de nuevo. Tuvo incluso que volver a conseguir su número porque los padres de Noé lo habían cambiado por culpa de sus llamadas. Los primeros intentos de hablar fueron muy embarazosos.

Pero cuando Noé decidió hablarle otra vez, Zoe lo convenció de que fuera a su casa y dejara que ella y Mía le contaran la historia completa. No le había dicho a nadie lo que había sucedido. Noé fue la primera y única persona en escuchar el cuento de la maldición. Después de que Noé escuchara lo que ellas tenían que decirle fueron a la librería. Querían darle las gracias a Mack por ayudarlas a traducir el conjuro y mostrarle a Noé el libro con el símbolo del ojo de la serpiente. Mack estaba feliz de verlas y escuchar que el conjuro había tenido éxito, pero el libro ya no estaba en la tienda. Mack les contó que al día siguiente, cuando abrió la librería, lo buscó por todas partes y no lo encontró. Desde entonces lo había estado buscando, pero había desaparecido.

La historia de Mack también ayudó a que Noé creyera la historia de Zoe. Él quería saber todos los detalles sobre la maldición y escuchar de nuevo cómo Zoe se coló en la tienda de Serafina en la feria.

La computadora portátil de Zoe se compuso, todos los rasguños se le curaron y su película fue restaurada. Además, al profesor Meyer le encantó la idea de que realizara un cortometraje sobre una chica que había sido maldecida. ¡Y ahora Noé la había invitado a salir! Las cosas definitivamente se estaban arreglando.

—Bueno, tengo un regalito para ti —dijo Mía metiéndose la mano en el bolsillo y entregándole algo a Zoe.

—¡Mía, es hermoso! —dijo Zoe levantando una cadena de plata con un delicado dije: un trébol de cuatro hojas.

—Pensé que podrías usar un amuleto de buena suerte para sellar tu verdadera fortuna —dijo Mía sonriendo.

—¡Me encanta! —respondió Zoe poniéndose la cadena en el cuello y maravillándose de lo ligera que se sentía—. Es bella, Mía. Muchas gracias.

Las chicas siguieron meciéndose en la hamaca.

—No puedo creer que vayamos a ir al cine con Noé y Zack —dijo Mía.

—Lo sé —afirmó Zoe sonriendo—. Creo que ahora sí puedo decir que mi suerte ha cambiado.

Pero en ese momento escucharon un ruido entre las hojas de un árbol.

—¡Mía, mira! —susurró Zoe.

Era un enorme pájaro negro, y parecía que las estaba observando desde una rama justo encima de la hamaca. Zoe sintió que el corazón se le ponía en la garganta.

—¡Otra vez el cuervo! —añadió.

Mía saltó de la hamaca y miró hacia el árbol. Luego se volteó hacia Zoe con una gran sonrisa en el rostro.

—¿Por qué sonríes? —le preguntó Zoe.

—Porque es un cuervo —respondió Mía dejándose caer en la hamaca y soltando una carcajada.

Zoe también se echó a reír. Era estupendo llorar de la risa después de todo lo que le había sucedido. Secándose los ojos, miró la cadena que ahora colgaba de su cuello y agarró el dije fuertemente con la mano. Entonces, se juró en silencio que nunca más volvería a subestimar la risa… ni la buena suerte.

Brandi Dougherty también es la autora del best-seller ilustrado del *New York Times*, *The Little Pilgrim*, y de dos novelas para jóvenes adultos, *The Valentine's Day Disaster* y *The Friendship Experiment*. Vive en San Francisco con su perro, Jerome. Puedes visitarla en su sitio de internet en inglés: www.brandidougherty.com.